光文社文庫

長編推理小説

ブルータスの心臓

東《ひがし》野《の》圭《けい》吾《ご》

JN282584

光　文　社

目次——ブルータスの心臓

序章 5
第一章 殺しのバトン 10
第二章 殺しのエラー 73
第三章 殺しのターゲット 137
第四章 殺しのリプレイ 197
第五章 殺しのトラップ 275

序章

ナオミの横を通り抜けた時、なぜか悪寒《おかん》のようなものを背中に感じた。

高島勇二《たかしまゆうじ》は立ち止まり、ナオミのボディを見上げた。彼女は相変わらず無表情で、細長い腕をリズミカルに、そして驚くべき正確さで動かし続けている。その動きに異常は感じられない。何もかもいつも通りだ。

彼は彼女の隣りに目を移した。そこにはハルコが立っている。ハルコの仕事はナオミの前工程だ。細部の組み立てと溶接をする。ナオミの仕事は最終的な組み立てなのだ。

勇二はナオミやハルコから離れると、通路に戻り、通常のコースを辿《たど》り始めた。工場内は薄暗い。本当は暗闇でも構わないのだ。それでも彼女たちの仕事には影響しない。わずかながらも照明らしきものが残っているのは、今夜の場合、彼ひとりのためということになる。彼は明かりがなくては歩けない。

彼は数メートル進んでは立ち止まり、通路の両側に並んでいる、ものいわぬ仲間たちの仕事ぶりを点検していった。

時刻は真夜中の三時。ここ第三組立工場では、三十台のロボットが稼働している。彼らには休憩や食事は必要ない。二十四時間働き続ける。

この工場で勤務している人間は、勇二を含めてもたったの二人だった。しかし彼は勤務中にその相棒と顔を合わせることはない。どちらかが昼勤の場合は、もう一方が夜勤なわけで、二人のタイムカードの数字は殆《ほとん》ど重ならない。

三十台の冷たいロボットだけを相手に、長い夜を過ごすのである。夜が明けると相棒と交代する。二人が出会うのは、この時だけだ。しかし出会わないことも多い。仕事の引き継ぎ自体は、コンピューターに書きこんでおくだけでこと足りるのだ。

仕事を終えたあとは着替えて独身寮に帰る。夜勤者用の食堂で不味《まず》い定食を食べ、風呂に入り、録画予約しておいたビデオを見て寝るだけだ。目を覚ますのは夕方。不味い食事、そして出勤。職場では三十台のロボットが、昨夜と全く同じ仕事を、いつも通りのリズムで行なっている。それを見回り、不備を直し、部品の供給を行なう。

それが二週間続く。二週間おいて、また夜勤になる。そういう生活を、彼は一年以上続けてきた。

もう限界だよ、と勇二は大型の溶接ロボットを見上げて呟《つぶや》いた。夜勤に入って今夜でちょうど十日目になる。誰かと話がしたい。人間の感触が欲しい。

恋人のことを彼は思い出した。髪が長く、何となく日本人形を思わせる顔だちをしている女性だ。その恋人と、毎週日曜日には必ずといっていいほど会う。彼自身が比較的無口であるし、彼女も他の若い娘と比べると口数は少ない方だ。それでも彼女と過ごす時間は、彼にとって精神の回復剤になる。もうあと一週間がんばろうという気持ちになれる。

ところがこの間の日曜は会えなかった。彼女の方にどうしても避けられない用ができたからだ。しかたなく彼は一人で街に出て、買い物をして帰った。気分転換にはなったが、彼女とのデートとは比較にならない。

彼女と二週間も会っていないことが、よけいに勇二を苛立《いらだ》たせていた。こちらが夜勤なので電話もかけられない。

結婚したら何としてでも職場を移らせてもらわないとな——彼は改めて心に念じた。まだ両親に紹介はしていないが、彼女とは結婚するつもりだった。そうなれば毎日一緒にいられるはずだが、今の仕事のままだとそういうわけにはいかない。当分は共稼ぎをするつもりだから、二週間おきにすれ違いの生活が続くことになる。

もっとも、他の職場でも二交代は殆ど常識だから、夜勤を完全に免《まぬが》れるというのは無理な話かもしれなかった。しかし今よりはましであろうと思うし、何よりもそこには一緒に働く生《なま》身《み》の人間たちがいる。勇二にしてみれば、それだけでも魅力だった。たとえ少々実入りが減るにしても、だ。

「どこのエリートが考えたか知らないけど、こっちの身にもなってほしいよ」

ずらりと並んだ機械の作業者たちを眺めて、勇二は舌打ちをした。

異常を知らせるブザーが鳴ったのはその時だった。

勇二が今通ってきた方からその音は聞こえている。彼はブザーと同時に点滅するライトを見るまでもなく、異常を知らせているロボットに向かって歩きだした。音の微妙な違いで、どのロボットのことかすぐにわかる。それに調子のあまりよくない機械というのは、大抵顔ぶれが決まっているのだ。

「やっぱりおまえか」

部品供給装置から部品を取り出そうとした状態で止まっているハルコを見て、彼はぼやいた。といっても調子がよくないのはロボットのハルコの方ではなく、部品供給装置の方だった。多品種少量生産で様々なサイズの部品が流れるため、途中で引っ掛かったりするケースがきわめて多いのだ。

供給装置はハルコとナオミの間にある。

勇二が見ると案の定、部品が斜めに引っ掛かっていた。それを取りのぞこうとしたが、なかなかうまくいかない。

「嫌になるよ、まったく」

顔を上げ、勇二はハルコに向かって呟いた。

その瞬間、彼は見た。ハルコのボディに落ちているナオミの影が動きだすのを——。

振り返る余裕も、声を出す暇もなかった。逃げだそうとした時には、ナオミの細長い鋼鉄の腕が、作業帽をかぶった彼の頭に激突していた。

彼は一瞬にして意識を失い、ロボットの前のテーブルに倒れこんだ。

その彼の身体を、ナオミは上から押しつけた。彼は呻《うめ》き声を弱々しくあげたが、その声もやがて消えた。

数秒後、ナオミのボディから異常を知らせるブザーが鳴りだした。しかし誰も駆けつけてはこなかった。

深夜三時の出来事である。

ナオミやハルコ以外のロボットたちは、忠実に作業を続けている。管理者を亡くした彼らが、様々な不備からブザーを鳴らし始めるまでには、まだ少し時間があった。

第一章　殺しのバトン

1

インパネの横に付けてあるデジタル時計に目をやると、二十三時二十九分から二十三時三十分に変わるところだった。

ということは、名古屋インターを出てから一時間が経過したことになる。車はすでに静岡に入っていた。

早いものだ、と末永拓也《すえながたくや》は呟いた。今夜は事故や渋滞がない。予定の時刻までに厚木《あつぎ》に到着するだろう。

厚木で荷物を移し替えれば彼の役目は終わる。あとは一目散に名古屋に引き返せばいいわけだ。

ラジオをつけようと拓也はスイッチに手を伸ばしかけたが、やはり思いとどまってやめた。神経をあらぬ方に向けぬよう、ここまで我慢してきたのだ。あと少しぐらいは、緊張を持続させたままの方がいい。今ここで事故でも起こしたら身の破滅だ。

事故に限らない。速度違反で覆面パトカーに捕まったりしてもまずい。今夜この場所を走っていたという記録を、警察に残すことになるからだ。

拓也はスピード・メーターを見た。時速八十キロから百キロの範囲を保ち続けている。こんなにおとなしい運転は、免許を取ったばかりの頃でもやったことがない。前方に車のテールランプが全く見えない時などは、アクセルを踏みこみたくなる衝動にかられるが、そこをぐっとこらえる。今夜の目的は、とにかく無事厚木に到着することだった。

少し急なカーブにさしかかったので、拓也は充分にスピードを落として慎重にハンドルを切った。追越し車線を巨大なトラックが走り抜けていく。

カーブを曲がり終えた時、後ろの荷台で物音がした。思わず全身がぴくりと動き、続いて心臓の鼓動が速くなった。

拓也は前方に注意しながらルーム・ミラーを動かし、荷物台を調べた。紺色の寝袋の位置が少し変わっている。カーブを曲がった反動で移動したらしい。それ以外に異常はないようだった。

「脅《おど》かすなよ」

唇を歪《ゆが》め、拓也はミラーの位置を戻した。後方を走っている車のヘッドライトが映る。ふだんからこの程度の速度で高速道路を走る人間も多いらしく、必ずしも拓也の車を抜かそうとはしない。

――俺が何を積んで走っているか、こいつらには想像もつかんだろうな。

回りの車を一瞥《いちべつ》してから、拓也は引きつった笑いを浮かべた。

二週間前——。

「冗談いうなよ」

康子《やすこ》の体内に侵入した状態で、拓也は彼女の顔を睨《にら》みつけた。康子も彼の首に手を回した格好で、彼の目を見返してきた。二人の腰の動きは止まっている。

「冗談じゃないわよ、もちろん」

息は少し乱れているが、すました調子で彼女は答えた。独特のハスキーボイスだ。異国風の顔だちで、表情の読みにくい女だった。

「俺の子供だっていいたいのか。まさかな」

ペニスに力を込め、ぐいと結合を深めた。康子は一瞬だけ眉を寄せて瞼《まぶた》を閉じたが、すぐにまた目を開けて拓也を見た。

「あなた、血液型は何だった？」

「さあ、何だったかな」

「O型よ。あたしがO型。だから子供の血液型がO型なら、あなたの子供である可能性が強いわね」

「おまえが付き合っている男の中にはAやBもいるだろう。その場合でもO型は生まれる。誰の子供かわかるものか」

康子はクックッと喉を鳴らして笑った。

「それはどうかしらね」

「とぼけるなよ。俺が何も知らないとでも思っているのか」

「そうは思わないけど、知らないことの方が多いはずよ」

「堕《お》ろすんだろ」

拓也が訊《き》くと康子は笑みを浮かべたまま、

「産むわよ」

とあっさり答えた。

「誰の子供かわからないのに産むのか」

「産めばわかるわ。あたしにはわかる」

自信たっぷりに答えた。

「俺の子供なものか」

「どうかしら。あたしはそれでも構わないけれど」

「相手がわかったらどうするつもりなんだ」

「責任とってもらう」

あたりまえじゃない、といわんばかりの目を康子はした。

「どう責任とらせるんだ」

拓也が訊くと、彼女は目を大きく開いた。

「子供ができて責任とってもらうといったら決まってるでしょ」

「結婚か？　冗談じゃない。そんなことはいわない約束だったはずだ」

「それはわかってるわ。特にあなたは今、大切な時期だしね」

意味ありげな目を康子はした。

「認知してくれればいいのよ。結婚してくれなんていわない。それならいいでしょう」

「そうして養育費をせびるわけか」

「せびるなんて下劣な言い方しないでよ。当然の権利でしょ。それにあなたが得る財産に比べたら、あたしに払う金額なんて知れてるわよ」

「本気でいってるのか」

「もちろん本気よ」

拓也は彼女の両腿を持ち上げると、膝をついて上体を起こした。ペニスは萎《な》えかけており、辛うじて繋《つな》がっている状態だ。そのまま腕を伸ばし、康子の首を掌《てのひら》で包んだ。

「堕ろせよ」

そういって軽く首を締める。康子の顔から笑いが消えた。盛り上がった乳房が、少し荒くなった呼吸に合わせて揺れている。首筋を汗がひとしずく流れ、拓也の手に達した。

「殺したいの？」

拓也は黙ってゆっくりと親指に力を込めた。康子の目にかすかな脅《おび》えが走る。しかし真っすぐに結んだ唇は、依然気の強さを示している。

拓也は指の力を少し緩《ゆる》めた。

「大した女だよ。一生俺にとりつくつもりだな。しかし俺の子供じゃなかったら悲劇だぜ。わかってるのか」

「あなたが何をいっても堕ろさないわ」

康子の表情にまた余裕が戻り、赤い唇の隙間から白い歯が覗《のぞ》いた。「もう決めちゃったのよ」

再び康子の細い首をぐっと締める。彼女が目を剝《む》いた。同時に、膣の締まる感触があった。その刺激でペニスが再び充血してくる。充分に硬さを取り戻してから、拓也は抽送を始めた。首を締める格好のままで律動を繰り返す。康子は目を軽く閉じ、唇をかすかに開いた。

「ほかの男にも同じようにいってるわけか」

拓也がいうと、康子は薄く瞼を開き、流し目をするように彼を見た。それから口を横に広げるようにして冷ややかな笑いを作ったあと、再び快楽を味わうように熱い息を漏らしはじめた。

手を打つなら早いうちだな――それ自身が赤い生きもののように見える唇を眺めながら、拓也はその方法について考えをめぐらせた。

2

末永拓也が産業機器メーカーとしては中堅のMM重工に就職して、今年で九年になる。

所属は研究開発二課、現在の主担当業務は人工知能ロボットの開発と応用である。勤務地は基本的には調布《ちょうふ》の本社ビル内だが、月に何度かは埼玉にある工場に行く。そこでは拓也が開発にタッチしたロボットが数多く稼働しているからだ。

自分は選ばれた人間だ、と拓也は思っている。単にエリートということではなく、人生の勝利者となるべき人間だという意味だ。

といっても拓也は決して恵まれた人生を歩んできたわけではなかった。むしろその逆だったといったほうがいいだろう。滋賀《しが》県で生まれた彼は、幼い時に母を亡くし、左官《さかん》職人の父に育てられた。だが彼の記憶の中に、父が父親らしい愛情を見せた覚えは全くない。いつも酔っぱらっており、安酒を買うためなら拓也の小学校の給食費を滞納しても何とも思わないような男だった。仕事ぶりもずぼらで、しょっちゅうサボっていたようだ。そんな環境を案じてか、死んだ母の妹が時々ようすを見に来ては、食事の支度などをしていってくれた。彼女の作るカレーライスが拓也は好きだった。それと同じように叔母のことも好きだった。

だがこの叔母も、やがて来てくれなくなった。あのことがあってからだ。

その日、拓也が小学校から帰ると、部屋から争うような物音が聞こえてきた。驚いて戸を開けると、酔った父が彼女を押し倒し、その上にまたがるような格好をしているところだった。その拓也の姿を見ると父は壊れた人形のように動きを止め、その隙に叔母は父の下から逃れた。そして乱れたスカートを直すと、拓也の横をすり抜けて出ていった。叔母の頰《ほほ》は何かでぶたれたように赤く腫《は》れていて、その上涙で濡れていた。

彼女の後ろ姿を絶望的な気分で見送ったあと、拓也は部屋の中央であぐらをかいている父の顔を見た。行為の具体的な意味はわからなかったが、父が叔母に対して侮辱的なことをしようとしたことだけはわかった。

父は酒瓶を引き寄せた後、息子の視線に気づくと、

「なんや、その目は」

といって拓也の身体を力いっぱい突いた。彼はひっくりかえり、柱の角で頭を強く打った。あまりの痛みに手で押えると、べっとりと血がついた。それでも父は心配するそぶりすら見せなかった。今でも拓也の右耳の後ろには、二センチほどの傷が残っている。

父を憎み、軽蔑した少年期だった。

この男は人生の敗北者だ、こんなふうにはなるまいと思いながら毎日を過ごした。

だが彼が高校に上がってしばらくした頃から、父の態度は豹変《ひょうへん》した。比較的真面目に仕事をするようになり、酒もあまり飲まなくなった。そしてことあるごとに、「大学に行きたかったらそういえよ。そのぐらいの金は出したるよってな」と気味の悪い愛想笑いを浮かべた。

拓也はもちろん大学には行くつもりだった。しかも東京の一流国立大を目指していた。それだけの学力をつけるため、あらゆる欲望を抑えてきたのだ。

しかし父の世話になる気など毛頭なかった。高校を卒業したら実質的に父とは縁を切るつもりをしていたのだ。奨学金をもらい、アルバイトをすれば一人でもやっていけるはずだからだ。そして父が突然態度を変えたのも、彼のそういう内心を感じとったからに違いなかった。小心で愚劣な男は、この頃になってようやく自分の老後のことが気になりだしたらしい。

高校三年を終えた春、拓也は自分が立てた計画通りに東京の大学に合格した。入学金や引っ

越し費用なども、すべて自分で都合した。この時のために高校時代からアルバイトなどで金を貯《た》めてきたのだ。寮に入るという日の前夜、父は彼に何かいいたそうにしていた。父親らしい言葉のひとつでもかけようと思ったのだろうか。もしそうならお笑いだと拓也は思った。拓也は無視して布団に入ると、すぐに寝たふりをした。

当日の朝、彼はすべての殻を脱ぎ捨てて新幹線に乗りこんだ。見送る者は誰もいない。窓から遠ざかる郷里を眺めながら、「ざまあみろ」と彼は心の中で叫んだ。そしてそれを最後に、決して振り返らなかった。

大学生となった拓也は、ここでも人の何倍もの努力をした。受けられるかぎりの講義を受け、そのすべてに優秀な成績を納めた。またアルバイトには、身体の鍛練ができて収入がいいという利点から、肉体労働を主に選んだ。女の子と遊ぶことだけを目的に大学に通っている仲間などを見ると、哀れな男だと思った。彼らは選ばれた人間ではないのだと思った。

拓也にも何人か恋人はできた。殆どは他の女子大の学生だった。しかし結果的にみて彼女らは生理的欲求を処理するだけの存在でしかなかった。彼女らは豊かな乳房と長い脚を持っていたけれども、拓也が求めるようなコネクションは何ひとつ持っていなかったのだ。皆、平凡な中流家庭の娘だった。銀行の頭取の娘でも、政治家の一人娘でもなかった。そして皆、揃いも揃って頭が悪かった。

大学院に進む直前、父の死を知らされた。

脳溢血《のういっけつ》ということだが、この知らせを受けた時の拓也の感想は、「ようやくツキが回ってきた」だった。実家には一度も帰っていないが、あの町にあの男が、自分の父と称する男が住んでいるというのが彼の最大の悩みごとだったからだ。あんな男の息子とわかれば、就職にまで影響するのではないかという心配があった。

その夜、拓也はシャンペンを買い、一人でこの幸運を祝った。思わず笑みが漏れてしまうほど、最高の気分の夜だった。

父の遺体は形式的に葬った。それ以来墓参りもしていない。もともと末永家というものに愛着などなかったから、あんな墓がどうなろうと構わなかった。

大学院ではMM重工との共同研究に携《たずさ》わった。次世代ロボットの開発がテーマだ。したがって大学院を出たあとの就職も、彼がMM重工を望んだ時点ですんなりと決まった。

入社後は、それまで大学院で行なっていた研究に、引き続いて携われる職場に配属された。新入社員というより、強力なスタッフとして迎えられたわけだ。

俺はツイている。ようやく運命の女神が俺の方を向いたのだ——この時も彼は思った。

会社側は最初から拓也にかなり期待を寄せていた。そして彼も、その期待に見事に応えてきた。年に一度ある研究発表会にはこれまでに四度出ているが、うち三度は一位になっている。視覚認識ロボットの新しい方式を作りだした時には、国内の学会で注目を浴び、引き続いてアメリカで行なわれた国際学会で発表した。

順風満帆《まんぱん》というわけだ。

最近では上司も一目置いているようだが、拓也はそれを当然だと思っている。自分のおかげで開発二課は上昇気流に乗っているのだ。

しかし彼は今の状態に満足はしていなかった。現在自分は人より多少優れた「労働者」であるにすぎない、誰かに支配されていることに変わりはないと思っている。

人間が皆平等だなんてことは幻想に過ぎない、というのは彼の昔からの考えだった。この世は不公平と差別に満ちている。誰でも生まれたその瞬間から、様々な階層に分けられているのだと思っている。

いつかきっと自分も最上層の人間になる、支配者側に回るのだ——それが彼の目指す最終的なゴールだった。

3

富士川《ふじがわ》サービスエリアが見えてきた。このあたりで休憩しておくかと一瞬思ったが、結局彼はそのまま車を走らせた。まだそれほど疲れてはいない。足柄《あしがら》まで我慢することにしたのだ。時間は正確。少しの狂いもない。当たり前だと彼は口の中で呟いた。ほかでもない、俺がやっているんだ。俺がミスをするはずがないじゃないか——。

車は一定速度を保ったまま厚木に向かっている。

仁科敏樹《にしなとしき》との出会いは、自分にとって幸運だったことの一つだと拓也は思っている。仁科は、MM重工創設者である仁科慶一郎《けいいちろう》の息子だ。慶一郎が没してその多大な遺産を相続しただけでなく、現在は専務取締役の椅子に座っている。

この仁科が現在力を入れているのが、拓也たちのロボット事業部だった。埼玉にできた新工場は、自社の製品をふんだんに使った、完全ロボット化のモデル工場だが、このプロジェクトの音頭取りをしたのも仁科だった。

この専務とは関わっておきたいな、と拓也は思った。実力的にも勢力的にも、次期社長になるのは明らかだった。また、かなりの長期政権になる可能性も強かった。

とはいっても通常の関わりでは意味がない。拓也の実績については仁科も知っているはずだから、是非個人的な繋がりを持ちたかった。

だが一社員と会社役員では、やはり接点が少なすぎる。何とか仁科についての情報を集めたいと考えた拓也は、雨宮《あまみや》康子に目をつけた。

康子がロボット事業部に配属されてきたのは、昨年の春だった。華やかさに包まれている新人たちの中でも、彼女は一際《ひときわ》目立つ存在だった。欧米人の血が混じっているのかと思うほど目鼻だちがくっきりしていたし、背も高く、自己紹介する時の口調もはっきりしていて慣れた感じだった。

「新入社員のくせにちょっと慣れ過ぎているな。水商売のアルバイトでもしていたんじゃないのか」

口の悪い社員の中にはこんなふうにいう者もいた。拓也も同じ印象だったが、会社側ではそれを彼女の長所と解釈したらしい。研修期間が済むと、彼女は役員室に配属されていった。つまり専務や常務らの事務を担当するわけだ。

拓也は、この雨宮康子に近づいたのだ。

彼がとった手段はごく単純なものだった。彼女が残業で遅くなった時を見計らい、帰り道で待ち伏せしたのだ。話があるから食事を付き合ってくれないかという彼の誘いに、康子は一旦不審そうな表情を浮かべたものの、

「それならあたしの知っている店で」

とスペイン料理の店の名をいった。こういうことにも慣れている女なのだなと、拓也はこの時思った。

用件を切りだす時にも拓也は、仁科専務に関する情報を流してほしいのだと単刀直入にいった。「情報?」と彼女は目を見開いた。

「どんなことでもいいんだ」と彼はいった。「今後のスケジュールがどうなっているかだとか、現在どういうことに関心を持っているかだとかでもいい」

「スケジュールって、お仕事の予定ですか」

「それもそうだけれど、できれば個人的なスケジュールも知りたいね。関心の対象にしても同様だよ」

彼がこういうと康子は何かを見越したように上目遣いをし、笑みを浮かべた。

「末永さん、何を考えているんですか」

「君に迷惑のかかることじゃないよ」と拓也はいった。「どう、やってくれるかい?　もちろん

それなりの礼はさせてもらうつもりだよ。といっても、安サラリーマンに出来ることといえば知れているけれどね」

彼女は肩をちょっとすくめると、

「何だか面白そう。スパイみたいですね」

と悪戯《いたずら》っぽい顔をした。こういう表情をすると、やはりまだ二十代前半の娘なのだなという気がする。

「でも末永さんが期待しておられるような情報を、そううまく提供できるかしら。あたしは単なる事務をしているだけで、専務の秘書じゃないんですから」

「その点は気にする必要ないよ。専務に関することならどんな情報でもいいんだ」

「そうですか……」

康子は少し考えるように顔を傾けてから、「わかりましたわ。部内一のエリートに頼まれちゃ、断われませんもの」といって微笑《ほほえ》んだ。

この時に使ったスペイン料理店が、その後も情報受け渡しの場所となった。二週間に一度というのが基本的なペースで、何か特別な情報が入った場合には康子の方から連絡するという約束だった。最初の頃は、仁科の海外視察の予定であるとか、現在注目しているプロジェクトは何かといったような、彼女から聞かなくても知っているようなことが殆どだったが、そのうちに仁科個人に関する情報も多くなった。それだけ康子も職場に馴染んできたということだろう。

彼女の情報で最初に拓也の心を捕えたのは、宗方伸一《むなかたしんいち》の話だった。

宗方は、やはり仁科が力を入れている航空機事業部の研究主任だが、仁科の長女沙織《さおり》の夫でもあった。沙織は今年二十七歳、宗方は三十八歳だ。三年前、仁科が宗方の実力を認めて、娘と結婚させる気になったらしい。

「娘の相手は家が名門かどうかではなく、その男に仁科家をアシストしていくだけの技量が備わっているかどうかで決めたんだって、専務はよく話しておられますわ」

グラスを傾け、拓也の方を横目で見ながら康子はいった。この頃になると、食事の後で少し酒を飲むようになっていた。

「MXⅢ型が幸運を呼んだというわけだ」

現在MM重工が独自開発中の、短距離輸送機の原形となった飛行機である。エネルギー効率を飛躍的に向上させただけでなく、離着陸時の滑走距離を大幅に縮めることにも成功した。宗方はこのMXⅢ型開発スタッフのリーダーだったのだ。拓也は事業部が違うこともあって言葉を交わしたことはないが、

「航空機研の宗方はカミソリだよ」

という噂を耳にしたことはあった。つまり恐ろしく切れるということだ。外観は痩《や》せた神経質タイプにしか見えないが、人は見かけによらないということだろう。

「宗方さんはごく平凡なサラリーマンの息子だし、専務が政財界との繋がりを深めるためにお嬢さんの相手として選んだのでないことはたしかですわね」

「そのようだね」

仁科家のアシスト、という言葉を拓也は何度も口の中で唱《とな》えた。

ところでこの話を聞いた後、拓也は上着の内ポケットに手を入れ、白い封筒を康子の前に置いた。

「僕の気持ちだよ。少なくて悪いんだけど、これからもよろしくという意味に解釈してくれればいい」

康子は封筒に視線を落としたが、にっこりと笑って拓也の方に押し戻した。

「いつもお食事をご馳走していただいて悪いなと思っているんです。その上こんなものは受け取れませんわ」

「それほどの額じゃないよ。迷惑料さ」

「気にしないでください。大したことをしているわけじゃないんですから。いつか末永さんが目的を達して、あたしの情報が必要じゃなくなったら、その時に何かプレゼントしてください。それで結構です」

康子は彼の目を見つめていった。拓也は少しためらったあとで封筒を摘《つま》みあげ、

「じゃあこれでもう一軒行こうか」

と提案した。康子はゆっくりと瞼を閉じて頷《うなず》いた。

結局この夜、拓也は彼女と寝た。彼女が自分に好意を抱いているという感触は前からあったし、彼にしても康子に性的魅力を感じてはいたのだ。それでも今まで自制してきたのは、どういう形にせよ、職場の女性と関係を持つのは危険だと思っていたからだ。だから康子を抱いた

のは、彼女に対する警戒心が薄れていたということを意味していた。

この時の油断を、拓也は後になって悔やむことになる。

どんな時でも自分以外の人間を信用しないというのが、彼の幼い頃からの信念だったからだ。なぜあの時だけあんなふうに油断したのか。その理由はわかっていた。彼女の性的魅力に欲望が刺激され、的確な判断力が狂ったのだ。

しかし彼女を抱いたことが失敗だとわかるのは、それからずっと後のことだった。

ところで康子からの情報を元にした仁科への接近作戦は、少しずつ効果を見せ始めているようだった。仕事の進め方を仁科の好みに合わせることができるようになったし、何かのきっかけで雑談を交わす時など、話題には困らなくなった。自分の実力については、仁科も充分に承知しているはずだという自負が拓也にはあったから、後は何とか個人的な繋がりを持てればと考えていた。

康子の方から緊急の話があるといってきたのは、その年の暮れも押し詰まった頃だ。彼女からの情報提供が始まってから半年が過ぎていて、会った時に肉体交渉を持つことも当たり前のようになっていた。

「ビッグ・ニュースよ。星子《ほしこ》さんがアメリカから帰ってくるわ」

「星子さん、というと専務の下の娘さんか」

結婚した沙織の下にもう一人、娘がいるという話は聞いていた。現在アメリカに留学中ということだったが、

「専務が呼び戻したらしいの。あなたが待ちに待ったチャンスよ」

康子は彼のことを、あなたと呼ぶようになっていた。

「チャンス？　どういうことだい」

拓也がいうと康子は意外そうな顔をした。

「あなたにしては鈍いわね。宗方さんのパターンを狙うつもりなんでしょ」

「パターン？」

いわれて気がついた。仁科と個人的な繋がりを持つのが拓也の目的だが、娘と結婚すればこれ以上の関わりはない。ただ星子はまだ学生だという話だったし、日本にいないこともあって康子の口から殆ど話題に出なかったので、その可能性を考えたことがなかったのだ。

「星子さんは当分アメリカには行かないのかい」と拓也は訊いた。

「というより、留学はもうおしまいなのよ。専務はそろそろ婿《むこ》養子のことを考えだしたらしいわ」

「婿養子？　嫁に出すわけじゃないのか」

「昔はそのつもりだったらしいわ。だって仁科家にはちゃんとした後継ぎがいるものね」

康子は少し皮肉の混じった言い方をした。

後継ぎというのは仁科直樹《なおき》のことだった。沙織や星子の兄である。彼は現在ロボット事業部の開発企画室にいて、肩書は室長だ。拓也よりも一つ上なだけだから、親の七光りが多分に効いているといっていいだろう。

拓也としては、この直樹に近づくという手もあった。それをしなかったのは、たとえ何らかの繋がりができたとしてもメリットが少ないと判断したからだった。企画室長というポストに座ってはいても、実際にきり回しているのは彼より年上の副室長だった。ロボット好きの専務は、息子をとんだ木偶《でく》の坊《ぼう》ロボットにしたものだと、誰かが噂しているのを拓也も聞いたことがある。

いくら仁科家の後継ぎでも力がないのでは近づいても無意味だ――それが拓也の結論だった。

「そのへんのところを専務も心配しているのよ」と康子はいった。「今の勢力分布だと、専務が次期社長になることは間違いないわ。だけど二代目があれでは仁科家が安泰とはいえないわね。誰か補佐できる人物が必要なのよ。宗方さんもその一人」

「娘の夫には仁科家をアシストできるだけの技量が備わっていることが条件――この話をしてくれたのは君だったな」

「その、もう一人のアシスト役を見つけようというわけよ」

「婿養子をとるというのは、その意味あいを強めたということかな」

「それもあるかもしれないけれど、どうやら星子さんの希望らしいわ。お手伝いさんがいるから今まで通り家事なんてしなくていいし、好きなことができるわ。何よりも彼女、今の屋敷を出たくないのよ」

「大きいそうだな」

「数百坪だって。姉の沙織さん夫婦もそこそこの家を建ててもらったらしいけど、アメリカの広い屋敷に住んでいた星子さんとしては、寝室の窓からすぐに向かいの家の洗濯物が見えるような家じゃ我慢できないんでしょうね」

やれやれ、と拓也はため息をついた。そして改めて、自分の目の前にあるチャンスのことを考えた。何の財産も持たない天涯孤独の自分が、一気に太陽の当たる地位まで駆け上がるには、これぐらいの野望を抱くべきではないのか。

「お正月に仁科邸で恒例の新年会があるわ」と康子はいった。「例年なら各事業部の部長以上しか呼ばれないのだけれど、今年は若手社員が何人か指名されるはずよ。表向きはコミュニケーションを深めるためということだけど、本当の理由は別にあるの」

「婿選びというわけか」

拓也がいうと、康子は片目をつぶってみせた。

「父娘二人で値踏みしようということよ」

「なるほど」

「もう一つ付け加えると、専務の第一候補はたぶんあなたよ。部下にあなたのことをいろいろと調べさせているみたいだから」

「ふうん、第一候補か……」

嬉しかったが、予想外ではなかった。若手ではナンバーワンだという自負がある。康子から得た情報をもとに、仁科に接近してきたことも無駄ではなかったはずだ。

拓也は頷くとバーボンのロックを一気にあけた。頭の芯が軽く痺《しび》れるのを感じながらグラスを握りしめる。自分でも把握しがたい闘志が、内側から湧き上がってくるのがわかった。

ジャパニーズ・ドリームだよ——そう呟いた。

4

足柄サービスエリアに入ると、手洗所からなるべく離れたところに車を止めた。降りる前に荷台を確認する。少し位置が変わっているが、毛布ははずれていない。夜中で暗いこともあるし、仮に誰かが覗いたとしても何を積んでいるのかはわからないだろう。

車を降り、すべてのドアロックを確かめてから手洗所に入った。小便を済ませると少し落ち着いた気分になった。煙草を吸いたくなるのはこんな時かもしれないと拓也は思った。彼自身は高校の時に吸った経験があるだけで、常用したことはない。

手洗所の横には様々な自動販売機が並んでいた。拓也はインスタント・コーヒーのブラックを買い、それを飲みながら空を見上げた。雲が切れて星が出ている。このようすなら雨の心配はない。やはり俺はツイているんだと思った。


自己紹介をしたあとで、拓也はちらりと星子のようすを覗き見た。やや細身で小柄だが、目や口は大きく存在感のある顔だちをしていた。真っ赤なドレスも彼女の体格の欠点をカバーしている。拓也の隣りの人間が自己紹介していたが、彼女の目はまだ彼の方を向いていて二人の目が合った。すかさず拓也は口元を緩めて見せたが、星子の方は顎《あご》をつんと上げて目をそらした。

俺のことを気にしている——そう確信した。

仁科邸で行なわれた新年会でのことである。康子から聞いたとおり若手社員が何人か呼ばれ、拓也もそのメンバーに加えられた。仁科には充分に顔を売っているし、実績も申し分ないはずだから当然といえば当然だが、それでもやはり正式に招待の声がかかった時には安堵《あんど》した。

パーティは三十畳ほどもありそうな居間で行なわれた。テーブルがずらりと並べられ、各事業部の部長以上が、上手から順に席についた。若手社員の数は六人で、一番端のテーブルに並んで座った。

拓也たちに自己紹介させようといいだしたのは仁科だった。せっかくの機会だから上役に自分をPRしてみろといったのだが、同席している星子に見せるのが目的であることは拓也にはわかっていた。

自己紹介が意外に場を盛り上げる結果になり、それまでやや緊張気味だった空気がにわかにほぐれた。部長クラスは競って仁科のそばに行こうとする。ほどよくアルコールが回ってきたのか、仁科も上機嫌だった。

星子が席を外すのを見て、拓也も腰を上げた。テーブルの上の花瓶から、薔薇《ばら》を一本抜き取る。そして誰も見ていないことを確かめて、彼女を追うように居間を出た。星子は廊下を曲がり、茶室の方に行くようだ。そこなら誰かに見つかる心配も少ない。好都合だと拓也は思った。

広大な仁科家は、大部分が洋風に改装されたものの、まだ古い屋敷の面影を残しているところも少なくない。裏庭を見渡せる茶室もその一つだった。星子は縁側に立ってぼんやりと庭を眺めていたらしいが、拓也の姿を見ると、すぐに先刻までの勝ち気そうな表情に戻った。

「あっ、これはどうも」と彼はうろたえる芝居をした。「トイレに行ったんですが、あまりに広いんで迷っちゃいましてね——」

説明する彼の顔を星子は冷《さ》めた目で見ている。無表情だ。拓也は諦《あきら》めて苦笑した。

「嘘です。じつはお嬢さんを尾行《つ》けてきたんです。少しお話がしたいと思ったものですから」

「それなら初めからそういえばいいのに」

そういって星子は庭の方に顔を戻した。無表情に変わりはない。

「まあそれもそうですね。ところで——」と拓也は声のトーンを落とし、「もう少し近づいてもいいですか」

星子は少しだけ顔を動かし、「どうぞ」といった。拓也は彼女の横に立った。かすかに香水の甘い香りが漂ってくる。

「お疲れのようですね」といって、拓也は星子の横顔を窺《うかが》った。彼女は一旦唇をきゅっと結んだあと、

「馬鹿みたい」

と小声だがはっきりといった。

「僕がですか」と拓也は訊いた。

「あなたもよ」と彼女はいった。「お正月だっていうのに呼びだされて、上司のお世辞をいっ

て、馬鹿みたいに自己紹介までやらされて」

「なるほど」と拓也は鼻の横を掻いた。

「プライドのない人なんて、何の魅力も感じないわ」

「手厳しいですね。じゃあ今日のパーティなんか辞退していれば、お嬢さんのお眼鏡にかなったんでしょうね」

拓也がいうと、星子は一瞬だけ狼狽《ろうばい》の色を見せ、その後大きな目で厳しく睨《にら》んだ。

「どういう意味？」

「それはお嬢さんが一番よくご存じでしょう」

するとお星子は何か珍しいものを観察するように拓也の顔を眺めた。

「あなたって変わった人ね。あたしを怒らせるために、わざわざ後をつけてきたの？」

「そんなつもりはないですよ。お話がしたかった、ただそれだけです。お気を悪くされましたか」

だがこれには答えず、彼女は再び彼に横顔を見せた。

「あなたが何を知ってるのか知らないけれど、あたしは姉とは違うわ。父のいいなりになんかならない。自分の相手は自分で見つけるつもりよ」

「結構ですね。それは僕も同じです」

そういうと拓也は、テーブルの花瓶から失敬してきた赤い薔薇を彼女の前に差し出した。

気障《きざ》は承知だ。

星子は薔薇を手にとると、彼の目を見たまま花びらを鼻に近づけた。そして彼女が唇を動かしかけた時、拓也の背後で物音がした。振り返ると、宗方伸一が立っていた。彼も無論このパーティに参加しているのだ。今までのやりとりを聞かれたのかと拓也は思ったが、この男の表情は読みとりにくく何とも判断できなかった。細い顔からは神経質な印象を受けるのだが、誰に対しても姿勢を崩さず、意外な懐《ふとこ》ろの深さを感じさせる。仁科が長女の夫として彼を選んだのも、このあたりにあるのかもしれなかった。

「星子さん、専務がお呼びだよ」

宗方は笑顔を作っていった。それが習慣なのか、彼は仁科のことをお義父《とう》さんとは呼ばないようだ。

星子は、「そう」と返事すると拓也の脇を通り過ぎた。が、途中で振り返ると、

「お手洗いはこの廊下を真っすぐ行った突き当たりですわ。お迷いにならないようにね」

といって持っていた薔薇を、そばの屑箱に投げ入れた。そして宗方の前を通って居間の方に消えた。

拓也は宗方に一礼すると、自分も居間に戻ろうとした。だが彼の横を通る時、

「君は勘がいいね」

と宗方が呟くようにいった。えっ、と拓也は足を止めた。

「勘がいいといったんだよ。あの娘の気をひく最良の手段は、まず嫌われるということだからな」

拓也は思わず宗方の顔を見た。彼の方は突拍子《とっぴょうし》もないことをいったつもりはないらしく、平然としている。

「まあ、頑張るんだね」

拓也が何も答えないので、宗方はそれだけいうと、彼の肩をぽんと叩いて先に歩きだした。


新年会から一週間後、拓也は仁科に呼ばれた。

「君はゴルフが得意だといってたな」

拓也の顔を見ると、金縁《きんぶち》の眼鏡を外しながら仁科はいった。鋭い眼光は、拓也の本質を見抜こうとでもしているようだった。

「得意ではないです。趣味といえばその程度だと申し上げたのです」

先日の自己紹介の話だ。

「何でもいい。とにかくゴルフをするんだろ。じつは頼みがあるんだ」

仁科の頼みとは、次の日曜日、自分の代わりにプレーしてほしいというものだった。星子たちと回る予定をしていたが、急用で行けなくなったというのだ。

「若い者の方が星子とも気が合うだろうと思ってね。どうだ、行ってくれるか」

「そういうことでしたら」

喜んで、という言葉は胸の内で続けた。星子の婿選びはこれからも続けられるはずだと踏んではいたが、こういう形でチャンスが訪れるとは予想外だった。

「あの、それで残りのメンバーは？」

まさか星子と二人でプレーしろということではないだろう。

「うん、それは決まっている。君も知っているだろう。一課の橋本《はしもと》君だよ」

橋本——。拓也は舌打ちしたい気分になった。やはり先日の新年会に呼ばれていた若手の一人だ。拓也よりも一年後輩だが、極限ロボットの開発などで少しばかり注目されている。丸い身体に子供っぽい顔を取りつけたような、迫力の乏しい男だというのが拓也の印象だ。

「それからもう一人、宗方君も入っている。彼もなかなかの腕前だから、せいぜい競ってきてくれたまえ」

「宗方さんも……」

どうやら気を抜けないゴルフになりそうだと拓也は思った。


当日は晴天で、一月とはいえ寒さを感じさせないコンディションとなった。星子は女子プロ顔負けのウェアを着こなしている。この日最初に顔を合わせた時、彼女は拓也を見上げていった。

「お上手だそうね。じっくり見せていただくわ」

拓也は苦笑した。

「アメリカ仕込みの技術でやっつけてやろうと思って、僕をお呼びになったんじゃないんですか」

「あなたを？　とんでもない。あなたを呼んだのは父が勝手にやったことよ。うぬぼれないで」

そういうと星子は橋本の方に近づいていった。拓也に対した時とはうって変わった笑顔だ。橋本の方はしきりに照れている。

プレーが始まっても、この星子の態度に変化はなかった。橋本とは親しそうに話をするが、拓也にはぶっきらぼうだ。彼のスコアが彼女を上回っていることも、彼女にとって面白くないことの要因かもしれない。

「彼女はかなり君のことを意識しているようだな。ああいう態度をとるのは、その表われだよ」

ホール間を移動している時に、宗方が拓也の横で囁《ささや》いた。

「そんなことはないでしょう。新年会の時にしても、僕は無視され通しでした」

「あのタイプのお嬢さんにはよくあることさ。今日のゴルフが専務の仕組んだことだってことは君もわかっているだろう」

「それはまあ」

「君を指名したのはたしかに専務だが、本当に嫌なら黙ってる人じゃないよ、彼女は。ここへ来る車の中でも、君の話ばかりしていた。もっとも悪口だけどね。ああいう生意気な男は我慢ならないっていってたな」

「生意気ですか」

「他の若手社員は彼女の美貌にひかれていたようだが、君だけは別の目的を持っていたようだからね。それが彼女にもわかるから、却《かえ》って意地になっているんじゃないかな」

そういうと宗方はにやりと笑い、次のホールに急いだ。

アウトを終えると四人はクラブハウスで食事をとった。午前中の成績は宗方と拓也が同スコアでトップ、次いで星子という順番だった。始めたばかりだという橋本は、気温が高いこともあって汗だくのプレーとなった。

昼食後、拓也がロビーで新聞を読んでいると、隣りに星子が座ってきた。

「自己紹介で自慢するだけあって、なかなかのものね。キャリアは長いの？」

彼女が彼に話しかけてくるのは朝以来だ。

「三年ほど前に始めたんですよ。練習はよくやっている方でしょうね」

「それもやっぱり出世のため？」

大きい目で、じろりと拓也を睨んだ。彼はこれには答えず、

「お嬢さんも大したものですよ。長いコースに馴《な》れておられるようだ」

と持ち上げたが、彼女は途中から首をふった。

「今日は最悪、もう止《や》めて帰りたいわ」

不機嫌そうな声を出すと、さっさと歩いていった。

午後のラウンドの途中、再び宗方が話しかけてきた。

「君に忠告しておきたいことがあるんだが」

「何ですか」

「ターゲットは星子さんだけじゃないということだよ。無論専務に気に入られることが肝心なわけだが、じつはもう一人難敵がいる」

「企画室長のことですか」

仁科直樹の顔を思い浮かべながら訊いた。宗方は頷いて、

「何といっても仁科家の後継者だからね。娘の婿選びというよりは、彼の忠実な家来選びといった方がいいかもしれないな」

「宗方さんはその点で合格したわけだ」

拓也は少し皮肉をこめた目線を向けてみた。

「そういうことだろうね。おかげで確実な地位を得ることができたが、同時に、未来永劫《えいごう》にわたって黒子《くろこ》に徹し続けなければならないことも決まったわけだ」

直樹の黒子という意味らしい。

「不満そうですね」

「満足ではないが、まあしかたがないと思っている。君も野望を抱くのはいいが、そのへんのところだけは心しておいた方がいい。婿養子となると特にそうだろうからな」

「参考にしますよ」

拓也がいった時、星子がティーショットを放った。

たしかに星子の婿選びを考える上で、直樹の存在は大きいようだった。案外彼が難関になる

かもしれないと拓也も考えていた。

ゴルフから五日後、拓也がマンションに帰って着替えをしていると電話が鳴った。星子の声だとわかった時、彼は無意識に拳《こぶし》を握りしめていた。

「何度か電話したのよ。ずいぶん遅いのね。今まで会社にいたの？」

咎《とが》めるような口調だ。時計の針は十時を回っている。

「食事してましたからね。ところで先日はどうもありがとうございました」

「挨拶なんかはいいわ。それよりあなた、今からあたしに付き合って」

「今からですか」

「そういったでしょ。三十分で行くわ。着替えたらマンションの前で待ってて」

拓也が返事する間もなく電話は切れた。

いわれたとおりにして待っていると、白いポルシェが現われて彼の前で止まった。運転席の星子が助手席側を顎で示す。

拓也はあわてて乗りこんだ。

「どこへ行くんですか」

尋ねてみたが、彼女は前を向いたままで答える気はないようだった。拓也は諦めてシートにもたれた。

車は中央高速道路に入った。拓也が通行券をもらって彼女の前に置いた。その時かすかな匂いに鼻が反応した。

「お嬢さん、お酒を飲んでいるんじゃないですか」

すると彼女は前を見たまま右手の親指と人差し指で、十センチほどの幅を作った。

「どういうことですか」と彼は訊いた。

「ブランデーをこれだけ飲んだということよ」

拓也は目を剝《む》いた。

「冗談じゃない。お嬢さん、車を脇に止めてください。僕が運転します」

しかし星子は無言で、アクセルを思いきり踏みこんだ。スピード・メーターの針がみるみるはね上がり、拓也はシートの背もたれに圧力を感じた。腋《わき》の下に汗が流れる。

「お嬢さん」

「うるさいわね。あたしに指図しないで」

いい放つと彼女はさらにスピードを上げた。百キロ前後のスピードで走っている他の車が、飛ぶように後方に消えていく。拓也は黙り、代わりに前方と星子の横顔に注意を払った。何かあればすぐに対応できる心の準備をする。

「末永さん」

スピードを上げたまま、星子がいった。「あなた、あたしと結婚したいと思っているんでしょ」

拓也がすぐに答えないので、「どうなのよ」と彼女は苛立ったような声を出した。

「思っています」と彼は答えた。

よろしい、というように星子は頷《うなず》いた。

「あなたがどう思い、何を望もうと勝手よ。身のほど知らずなことでもね」

拓也は黙っていた。

「そのために父に気に入られようとするのも自由。でもね、兄に尻尾《しっぽ》を振るのだけはやめてちょうだい。あの人とあたしの将来とは何の関係もないんだから」

「尻尾を振る気はありませんよ。でも意識しないわけにはいかないですからね」

「いいのよ、無視しなさい」

「そういうわけには」

拓也がいいかけると、星子はハンドルを左に切って走行車線に入り、前の車を内側から追い越すと、また急ハンドルで追越し車線に戻った。

「あぶないですよ。少しスピードを落とした方が」

「指図しないでっていってるでしょ。それよりわかったわね。兄のことなんか無視するのよ。誰に何をいわれたのか知らないけれど、あたしの相手はあたしのためだけに選ぶの。あんな男のために選ぶんじゃないわ。ついでにいっておくけど、仁科家の跡取りはあの人だって決まってるわけじゃないのよ。勘違いしないでね」

どうやら星子は、自分や姉の結婚相手が、直樹の補佐役として選ばれていることに反発を感じているようだった。そういうやりとりが、今日仁科家であったのかもしれない。それでこれほど荒れているのだろう。

だがこういう時のヤツ当たりの相手として自分が呼ばれたことに、拓也はある種の手ごたえを感じた。つまりそれだけ自分の存在が、星子にとって大きくなってきていることを意味する。

それからしばらく走ると気が落ち着いたのか、星子は高速を一旦出ると、上り線に乗り換えた。そして今度はかなりスピードを落として、今来た道を引き返していった。

この夜のことがきっかけで、星子は時々拓也を呼び出すようになった。といっても食事をしたり酒を飲んだりということは殆どなく、大抵は買い物の付き添いであったり、運転手代わりであったりした。彼女が友人とディスコに入っている間、ずっと車の中で待たされたこともある。

だがそれでも彼女との関わりが密接になったことに変わりはない。今のところは恐ろしく順調だ、というのが拓也の感触だった。

それだけに――と彼は考える。康子の突然の裏切りは、彼にとってじつに手痛いものだった。

5

康子がなぜ子供を堕ろそうとしないのか、その理由について拓也はまだ完全には納得していない。ここで子供を産むことが、彼女にとってそれほど有利なことでもないように思えるからだ。逆にいうとそういう安心があったからこそ、彼女との関係を続けてきたともいえる。

しかし彼女は産むといった。そしてそれなりの責任をとれという。ただしこれには条件がついていて、「もしあなたの子供だったら」というわけだ。

彼女が自分以外の誰と関係しているのか、それを拓也は知らない。だから生まれてくる子供が自分の子供である確率がどれほどのものなのか、判断することもできない。

だが、と彼は思った。仮に自分の子供ではなくても、彼女が妊娠し、出産することはまずい。なぜならそのことによって、康子との関係が公《おおやけ》になる可能性が高いからだ。

そんなことは絶対に避けねばならなかった。仁科星子のプライドの高さを拓也は知っている。康子とのことが露顕《ろけん》してしまえば、星子と結婚する話はもちろんのこと、MM重工内での立場も一気に崩れてしまう。

拓也は性行為の途中に彼女の首を締めた時の感触を覚えている。出来ればあのまま締め殺したかったところだった。

早急に手を打たねばと焦《あせ》るが、何ら対策が思いつかぬまま時間が過ぎた。

仁科直樹から呼び出しを受けたのは、拓也がそんなふうに苛立っている頃だった。

開発企画室長といっても名ばかりで、実際に指示を出しているのは萩原《はぎわら》という副室長だった。したがって拓也が今までに開発企画室と打ち合わせをする時でも、萩原と話をするのが普通だった。萩原は勤続十七年のベテランだが、直樹は親の威光で室長に座ったにすぎない。そのことを本人も自覚しているのか、直樹は殆ど一日中、企画室の隣室にこもったきりだった。

部屋に行くと、先日ゴルフでも顔を合わせた橋本敦司《あつし》が先に来ていた。やはり星子とのことらしいなと拓也は思った。

「そろったな」

直樹は拓也の顔を見ると立ち上がり、そばの打ち合わせ用テーブルを指した。橋本が座り、その横に拓也が座る。直樹はこの部屋内で唯一人の部下である女子社員に、

「中森《なかもり》君はちょっと席を外してくれないか」

といった。中森という女子社員は小さく返事すると、席を立って部屋を出ていった。たかが室長に専用の部屋があったり、秘書代わりの社員がいたりするのも仁科家の力かと、拓也は改めて思い知りながら彼女の後ろ姿を見送った。

「さて……と」

直樹は拓也たちの向かいに腰を下ろすと、テーブルの上で両手を組み、話の切りだし方を考えるようにうつむいて沈黙した。やや翳《かげ》りがあるが、彫りは深く、美青年の部類に属するだろう。彼のことを素敵だといっている女子社員が多いことを拓也は知っている。頷けないこともないなと思った。

「回りくどい言い方はやめた方がいいな」

しばらく考えた後で直樹はいった。「単刀直入にいおう」

拓也は橋本と共に頷いた。どうせ星子のことに決まっていると思っていたのだ。しかし直樹の口から出た名前は、全く予想外だった。

「話というのはほかでもない。雨宮康子の妊娠のことだ」と彼はいった。

拓也は咄嗟《とっさ》にいうべき言葉が見つからず、直樹の端整な顔を見返しただけだった。橋本も呆《ぼう》

然《ぜん》としている。直樹は二人の反応を楽しむように薄笑いを浮かべたが、その目は少しも笑っていなかった。

「驚いただろうな。無理もない。君たちも康子の男だと知った時には、俺も飛びあがるほど驚いたんだ」

「君たちも……？」

拓也はそういって直樹の顔を見返した。「というと、室長も？」

「まあ、そういうことになるな」と直樹はいった。

何という女だと拓也は康子の顔を思い浮かべた。それから目を橋本に向けた。橋本も同様に拓也を見ると、肩をすくめて首をゆっくりとふった。

「驚きましたね。彼女に他の男がいるとは思っていたのですが」

「俺が調べたところでは、この三人だけだよ」

そういってから直樹は、事情を話し出した。彼によると、康子から妊娠の話を持ちだされたのも、拓也とほぼ同じ時期らしい。会話の内容も似たようなものだ。堕ろせという彼の命令にも、彼女はしたがう気がないそうだ。だろうな、と拓也は思った。

「正直弱ったよ」

直樹は苦笑を漏らした。「そこで考えたのは、とりあえず他の男を探しだそうということだった。康子が俺以外の男と付き合っていることは、わかっていたからな」

「探偵でも雇ったんですか」と拓也は訊いた。

「いや、自分で康子の尾行をしたんだよ。結構難しくもあり、面白くもあった。彼女が他の男と会うチャンスになかなか巡りあえなくて、少しいらいらしたがね」

直樹は二人の顔を交互に見てから、「橋本は先週の木曜日、末永は先週の火曜と今週の水曜に会っているはずだ。間違いないだろ」といった。

「室長は月曜あたりですか」

拓也は冗談半分にいったが、

「当たりだよ。先週の金曜と今週の月曜だ」

平然と答えた。「インターバルは不規則だが、ローテーションに入っているのは我ら三人だけのようだ」

「よくそれだけ粘《ねば》れましたね」

橋本が心底感心したような声でいった。

「何しろ暇だからね」

「それで」と拓也はいった。「僕たちのことを探しだして、どうする気ですか。子供の父親が誰なのか、はっきりさせようというわけですか」

「それができればいいね。しかし、たぶんそれは無理なんじゃないか。君たちは絶対に自分の子じゃないと断言できるかい。最初に断わっておくと、俺にはできない。父親は俺かもしれない」

彼の言葉に拓也も橋本も黙りこんだ。そのようすに、直樹は満足そうに頷いた。

「最初に白状すると、非常にまずい事態だと思っているんだ。もし俺の子供なら、あの女は生涯にわたって莫大な養育費を要求するだろうからね。それにそういう問題を起こすと、いくら仁科家の長男だからといっても、会社での立場があぶなくなるのは見えている」

「それを防ぐには、諦めて彼女と結婚するしかないですね」と拓也はいった。

「あの女もそれを狙っているのかもしれんな。しかしそういうわけにはいかない」

ところで、と直樹は拓也たちを見た。「確認しておきたいんだが、君たちの覚悟の方はどうなっているんだい。仮に子供の父親が自分だった場合、何らかの形で責任をとる覚悟はできているのかい」

　彼の目が自分に向けられていたので、拓也が先に答えた。

「正直なところ困っています」

「だろうな。星子とのこともある。たとえ自分の子供ではなくても、このことがきっかけで康子との関係が知れるとまずいわけだ」

　直樹は唇の端を少し曲げた。それから橋本に視線を移した。「君はどうだい？」

「僕も同じです」と橋本は答えた。「正直いって、星子さんの婿選びに関しては諦めています。だけどそれだけではないですからね。せっかく今まで順調に来たのだから、こんなところでつまずきたくないです」

「で、どうするつもりなんだ？」

「それは……」と橋本は口ごもった。

直樹は頷き、そのまま煙草を二度三度と吸った。拓也は煙草の先端から白い煙が立ちのぼるのを見つめながら、彼が次の言葉をいうのを待った。

「君たちも考えたと思うが」

こう切りだしてから彼はまた間をあけた。拓也も橋本も黙っている。直樹は瞼を閉じていった。「俺はずっと考えている。康子が死んでくれれば都合いいんだがな……と」

拓也の隣りで橋本が妙な音を喉から出した。唾を飲みこむ音だ。少し沈黙。やがて直樹は短くなった吸い殻をガラスの灰皿の中で揉《も》み消した。

「死んでくれれば都合がいい――」

繰り返してから彼は二人を見た。「そう思ったことはないかい」

拓也は橋本の表情を窺《うかが》った。一つ下の後輩は、額に手を当てた格好のまま動かなかった。直樹が何をいいたいのかはわかっている。それだけに迂闊《うかつ》には返答できないのだ。

「じつは俺の方に計画がある」と直樹はいった。「何の計画か、口に出さなくてもわかっているだろう。その計画には君たちの協力が必要だ。いや、こういう言い方はよくない。我々三人が力を合わせないとうまくいかないというべきだな。早く手を打たないと、取りかえしのつかないことになる」

それでも拓也と橋本は黙ったままだった。やがて直樹は、

「まあいいだろう」

と椅子にもたれかかった。「考える時間は必要だろうからな。明後日の夜、ホテルを予約して

ある。そこで再度集まろう。わかっていると思うけど、時間は全然ないということを忘れないでくれよ」

最後は低い声で念をおした。

その夜拓也は自分の部屋で、直樹の提案について考えた。といっても、彼の気持ちはすでに固まっている。彼にいわれるまでもなく、解決策は一つしかないと思っていた。

康子を殺すしかない。

それが今の苦境を乗りきれる、おそらく最善の策だ。

康子が流産するような、何か突発的な事故を仕組むということも拓也は考えた。しかしそうなった場合に、康子が騒ぎださないとはかぎらない。

殺すしかないのだ、と拓也は思った。あんな女のために自分の将来を壊されるわけにはいかない。

それはともかく、と拓也は直樹のことを考える。彼もまた康子と関係していたというのも意外だが、今度のような相談を持ちかけてきたことは、拓也の直樹に対して抱いていたイメージを根底から覆《くつがえ》すものだった。何もできず、隔離された部屋でうじうじしているだけの能無しだと思っていたのだ。

妙な具合だが、見直した、というのが正直な感想だった。

直樹と同じ秘密を共有するというのは、拓也にとって有利だった。星子とのことも、彼を味方につけておけばスムーズに進めやすい。

問題は橋本だった。あの男をどこまで信用できるか。いやその前に、あの男に康子を殺すほどの度胸があるのかどうか。

邪魔者になれば消してしまえばいいか——そんな思いが脳裏をかすめたが、殺人を安易に考えがちになっている自分に気づき、拓也は思わず頭を振った。

二日後、約束通り三人は都内のホテルの一室に集まった。ツイン・ルームで、テーブルと二つの椅子が置かれている。拓也と橋本が椅子に座り、直樹はベッドに腰かけた。

「イエスかノーか、決心はついたかな」と直樹は二人の顔を見ながらいった。

拓也は橋本がかすかに首を縦に動かすのを横目で確認してから、自分も頷いた。

「結構。正直いってここでもまだ迷っているようなら、答えを聞かずに出ていってもらうつもりだった」

そういうと直樹はトランプ・カードを出してきて、拓也と橋本に一枚ずつカードを配った。見るとジョーカーだった。さらに直樹は残りのカードを拓也の前に差し出し、もう一枚任意にひくようにいった。

「どういうことですか」と拓也は訊いた。

「君たちの答えを聞くための手段だよ」と直樹は答えた。

拓也はそれ以上は問わず、橋本に見えないように一枚ひいた。スペードのキングだ。続いて橋本も神妙な顔つきでひく。

「さて、運命の一瞬だ」と直樹はいって、白い紙の箱を取り出した。「イエスならジョーカーを、ノーならもう一枚のカードをこの箱に入れてほしい。どちらもジョーカーなら話し合いは成立だ。もしどちらか一方でも別のカードなら、我々の会合はこれっきりということになる。康子のことは各自で解決するということだ」

なるほど考えたな、と拓也は感心した。このやり方なら、不成立の場合でも、直樹にはどちらがイエスでどちらがノーなのかはわからない。また拓也たちにしてみれば、仮にイエスと答えていても、それを相手に知られずに済むわけだ。

拓也はカードを確認してから箱の中に入れた。続いて橋本も入れる。残ったカードは他のカードと一緒にして、それぞれが気の済むまできった。

「では、いいかな」

直樹は二人に見えないように、箱の中で二枚のカードを確認した。拓也は彼の表情を見つめる。一瞬だけ眉間の皺《しわ》が寄り、それから彼は顔を上げた。

「不幸な結果だ」と直樹はいった。「ただしそれは雨宮康子にとって、だよ。今ここで我々の意見は一致した」

彼は二枚のカードを開いて見せた。

一番いいのは疑われないことだ、と直樹はいった。康子との関係が第三者に知られていないこと。

「その点については自信ありますよ」

橋本は少し顎を上げた。「慎重に行動しましたからね。誰も知らないはずです」

「それは甘いんじゃないかな。事実、室長は我々のことをご存じだったわけだし」

「一つ穴のムジナだったからともいえるが、末永のいうように安心はできないだろうな。それに康子自身が誰かに話しているかもしれない。たぶん大丈夫だとは思うがね」

「しかしその点については、今さらどうすることもできませんよ」と拓也はいった。

「そういうことだ。そこで、万一疑われた時の対策を練っておく必要がある」

直樹はA4ぐらいの紙を取り出してくると、そこにボールペンで『アリバイ』と書き、アンダーラインを二本引いた。

「事件関係者となると、刑事は必ずこれを訊く。その時にアリバイが証明できれば容疑は晴れる。証明できなければ、いつまでもつきまとわれる」

「時刻表のトリックでも使う気ですか」

ハンカチを額にあてながら橋本は訊いた。汗など出ていないが、たぶん緊張した時の癖なのだろう。

「こっちは知ってるが警察は知らないという列車があるんならそれでもいいが、残念ながらそういうのはないな」

「でも何か考えはあるんですね」

拓也は自信ありげな直樹のようすを見ていった。彼はひとつ頷いて、

「警察はまず単独犯か、多くても二人の共犯だと考えるだろう。彼らの過去の経験が、そう判

断させるんだ。しかし我々は三人いる。そこにトリックが生まれる」

「どういうトリックですか」

「リレーだよ」

「リレー?」

「そう。バトンは死体さ」

直樹は紙に、『東京　厚木　名古屋　大阪』と少し離して書いた。そして大阪の文字の上に、×印をつけた。

「康子は大阪で殺す。しかし死体が見つかるのは――」

彼が手にしたボールペンの先は名古屋、厚木を通りすぎ、東京のところで止まった。「約五百キロ離れた東京だ」

拓也は大きく息を吸いこんで橋本を見た。橋本はじっと紙面に目を落としたままだ。拓也はゆっくりと息を吐きだすと、「説明してください」と直樹にいった。

直樹は紙の上に、A、B、Cと新たに書き加えた。

「このABCが我々だ。実行当日、Aは大阪、Bは名古屋、Cは東京にいるようにする。まずAが康子を殺す。たとえばそれが夜の六時半だ。その前にAは、六時頃までのアリバイを完璧にしておく」

『六時三〇分　Aが康子を殺す』と彼は大阪という文字の横に書いた。

「その上でAは死体を車に積み、名古屋に向かう。Aは名古屋駅近くのある地点――仮にこれを X 地点としよう――この X 地点に車を乗り捨てて、新幹線で大阪に U ターンする。順調に行けば九時過ぎ、遅くとも九時半頃の新幹線には間にあうだろう。そうすれば十一時前には大阪に着く。A はなるべく早く第三者と会うようにする。これで A のアリバイの空白時間は、六時から十一時ということになる」

ここで言葉を切り、わかるかというように直樹は顔を上げた。答える代わりに拓也は小さく頷いてみせた。

「次は B だ」と直樹は『名古屋』のところをボールペンで差した。「B は十時頃までのアリバイを作っておく。その後 X 地点に行き、A が乗り捨てた車に乗り込む。そして東名高速に入り、厚木インターを目指す。厚木到着はおそらく午前二時頃になるだろう。インターを降りて、あらかじめ決めておいた場所――これを Y 地点としよう――そこに行く。Y 地点では C がすでに来て待っている」

「C はそこまでどうやって行くのですか」と拓也は訊いた。

「もちろん車さ」と直樹は答えた。「そしてその車に死体を移す。C は東京を目指し、B は名古屋にトンボ返りだ」

「B はかなりハードですね。六時間以上の運転をしなければならない」

橋本がいったが、

「B は一番楽なんだよ」

と直樹はすぐに否定した。「運転時間は長いが、ただそれだけだ。A は直接手を下さなくてはならないし、Cには死体処理という重要な仕事が残っている」

「死体はどこで見つかることになっているのですか」と拓也は訊いた。

「どこでもいい。とにかく発見が早くなるところがいいな。その方が死亡推定時刻も割りだしやすいだろうからな」

アリバイ工作をする以上、康子の殺された時刻はより正確にわかった方がいいわけだ。

「少し整理させてください」

橋本がいった。会議などでも、途中でこういっては、それまでに議論された内容をまとめる癖がある。

「くわしくは知らないんですが、死亡推定時刻というのは、ある程度幅をもたせるそうじゃないですか。この場合だと、犯行時刻は午後五時から八時までの間、ぐらいの見当をつけるんじゃないでしょうか。つまり刑事はこう尋ねてくるわけですね。五時から八時までの間、あなたはどこにいましたか……というように」

「その場合でもBとCは当然答えられるはずだな。嘘をつくわけじゃない。実際にアリバイを作っておくんだから」

「Aはどう答えればいいんですか？　六時頃まではアリバイがありますが、その後は十一時頃まで空白なんですよ」

「Aは大阪にいる。死体が発見されるのは東京だ」

直樹が説明する前に拓也がいった。「五時間以内に東京に行って康子を殺し、また大阪に戻るなんてことは不可能だよ」

そのとおりというように直樹は頷いた。

「つまり三人ともアリバイがあるということになる。ただしこれは、ＡＢＣの共謀が警察に知られていないという前提のもとでの話だがね」

「でも大きな問題がありますね」と拓也はいった。「いったい誰がＡの役をするのかということですよ。誰だって、直接の殺人者にはなりたくはありませんからね」

「それはそうだが、誰かがやらなくちゃならない」

「もう一つあります。Ａが打ち合わせ通りに殺人を実行したとして、その後の作業をＢやＣがきちんとやってくれるという保証がありません。早い話が、ＢとＣはＡ一人に罪を押しつけることもできるわけです。結果的にＡが逮捕された場合でも、Ａの供述など作り話だと主張すればいい」

「あとの二人を信用できないということか。まあそうだろうな。これだけの大仕事をするわけだから、何らかの形で絆《きずな》を作っておく必要はある」

直樹は紙をもう一枚と、朱肉を出してきた。「こうしよう。Ａの役に決まった者は、この紙にまずこう書く。我々は雨宮康子を殺すために共謀した――というふうにな。さらに文章の真ん中あたりに自分の拇印《ぼいん》を押す。ＢとＣに決まった者は、その両側に署名して拇印を押す。一種の連判状だな。この紙はＡが保管しておくことにする。これでＢもＣもＡを裏切ることはできない」

質問はあるか、というように直樹は顔を傾けた。

「あの……」と橋本が口を開いた。「それでAの役は誰がするわけですか。やはりそれも室長がお決めになるんですか」

すると直樹はじっと橋本の目を覗きこんで、

「君がAだ、といったら橋本は納得するのかい」

と訊いた。橋本は目を大きく開いて首をふった。

「そうだろう。いっておくけど、この件に関しては会社での立場は関係ない。公平に決めたいと思う」

直樹は先刻のトランプ・カードをまた出してきた。

「この中から一枚ずつひく。数の多い者から順に好きな役を取るというのはどうだ」

拓也は少し考えてから、「いいでしょう」と答えた。橋本も同意した。

「でもその前に、カードを確かめさせていただけませんか」

拓也がいうと、直樹はにやりと口元を歪めた後、トランプ・カードを差し出した。カードには特に変わった点はなかった。橋本に渡すと、彼も念入りに調べたのち、直樹の手に戻した。

「納得してもらえたようだな」

何度かきったあと、直樹はテーブルの上でカードの山を崩した。「さあ末永からひいてくれ。一番強いカードはエース、弱いのは2だ。数字が同じ場合は同点決勝ということにしよう」

拓也は乾いた唇をひと舐めしてから手を伸ばした。どういうわけか康子の裸体が一瞬脳裏をかすめた。

ひいてきたカードを思いきって開く。「あっ」と声を漏らしたのは橋本だった。

「いい数字をひいたな」と直樹がいった。

拓也のカードはハートのキングだった。助かったと彼は思った。まさか後の二人が揃って
エースをひくことはあるまい。

「さ、橋本の番だ」

直樹に促《うなが》され、橋本は手を伸ばしかけた。が、カードを摑《つか》む手前で彼の手は止まった。小刻みに震えているのが拓也にもわかる。

橋本は深呼吸すると覚悟を決めたように一枚のカードを摑んだ。そして開く。

やはり、あっというように橋本は口を開いた。だが声にはならなかった。それほどショックが大きかったということだろう。彼がひいたのはクラブの4だった。

橋本は口に手をあて、テーブルの上のクラブの4を見つめていた。康子を殺すための覚悟をしようとしているようにも見えるし、何とかこの局面を切り抜けられないかと考えているようにも見えた。

「では俺がひこう」

直樹はカードの山を見回すと、目をつぶってその中の一枚を摘みあげた。そして顔の横でひらりと返したあと、テーブルの上に叩きつけた。

それはスペードの2だった。

ふうーっと長い息を吐きだしたのは橋本だ。拓也は黙ったまま、直樹の顔を見ていた。いいだしたのが彼なのだから、こういう結果が一番いいのかもしれない。

直樹は口を閉ざしたまま一分近く動かなかった。それから彼は唇の端に冷めた笑いを浮かべると、

「さて、配役が決まったところで、まずは連判状の作成といこうか」

と二人を見ながらいった。「そのあとで細部の相談だ」

6

厚木まであと十キロ——表示を見て、拓也はもう一度気を引き締め直した。最後の最後まで安心はできないのだ。何が起こるかまだわからない。

厚木では橋本が待っているはずだ。そこで死体を積み替え、名古屋に戻る——そこまでが拓也の仕事だ。帰りも充分注意が必要だ。死体を積んでいなくても、彼がこんな時刻にこんなところを走っていたという記録を残してはいけない。

また一台、かなりのスピードで追い越していく車があった。八十キロそこそこで走るワンボックス・バンなど、彼らにとっては障害物以外の何物でもないのだろう。

厚木までの死体輸送にこの車を選んだのも、直樹のアイデアだった。

「六時や七時だと、まだ明るいからな。殺すのは車の中でやりたい。そうすると、死体をいっ

たん引きずり出してから、あらためてトランクに入れるというのは大仕事だ。少なくともひとりではな。その点ワンボックス・バンなら、そのまま毛布か何かでくるんで、後部荷台に転がしておけばいい。仮に外から見えても、荷物か何かを運んでいるようにしか見えないだろう」

車のあてはあるのだと直樹はいった。豊橋《とよはし》に製材業を営んでいる親戚がいて、そこの車庫に普段殆ど使っていないバンがあるらしい。当日の朝、直樹は新幹線を豊橋で降り、その車に乗って大阪に行くということだった。

「わざわざ豊橋から車を調達するんですか」と橋本が意外そうな顔をした。

「レンタカーを借りたりしたら、後に証拠を残すことになるからな。それに豊橋から運んでくるのには理由がある」と直樹は拓也を見た。「厚木で死体の積み替えを終えたら、東名高速を引き返し、豊橋で降りて車を返してきてもらいたいんだ。そのあとタクシーで名古屋に戻ればいい。警察が何か疑っても、このバンの存在に気づかないかぎり、豊橋のタクシー会社を調べることはないだろうからな」

厚木から死体を運ぶための車については、橋本が調達することになった。

「ところで……どういう方法で殺すつもりですか」

拓也が訊いた時、直樹はさすがにちょっと苦痛そうな顔をした。今回彼が初めて見せる表情だ。

「まだ決めていない」と彼はようやくいった。「血が出るのはまずいと思っている。その方法については俺に任せてくれ」

お任せします、と拓也はいった。橋本も頷《うなず》いた。

康子を大阪に呼びだす手段についても、直樹が考えることになった。

「死体を処分する場所については橋本が考えてくれ。末永には名古屋と厚木で死体をパスする場所を決めてほしい」

わかりました、と拓也は答えた。

「それから実行日だが、来週の火曜日ということにしよう。十一月十日だ。末永は、この日に何とか名古屋にいるように準備しておいてくれ。君なら適当な理由をつけて出張することも可能だろう」

「まあ何とかしてみましょう」と拓也はいった。

ここまで決まったところで、この日は解散となった。次の打ち合わせは三日後である。その間に各自がそれぞれの課題を解決しておくわけだった。

ところでこの日以後、拓也の回りで妙な噂が流れるようになった。星子が拓也のことを気に入っており、二人で何度か会っているらしい、というものだった。何人かの人間から噂の真偽を尋ねられて、そういう噂が流れていることを知ったのだ。もちろん拓也は星子とのことを誰にもしゃべってはいない。

すると康子あたりが噂を流しているのか。

いや、それはないだろうと拓也は思い直した。そんなことをしても何の利益もない。

では誰なのか。

その答えはすぐに判明した。直樹から社内電話がかかってきたのだ。噂を流したのは自分だと彼はいった。拓也が理由を訊くと、それは後から説明するから、今から開発企画室に来てほしいと直樹はいった。

不審に思いながら拓也は企画室を訪ねた。直樹はいつもの個室ではなく、部下たちのいる部屋で何かのファイルを開いていた。お呼びですか、と拓也が近づくと、直樹はじろりと黒目だけを動かして彼を見た。そしてまたファイルに視線を戻す。何だかようすが変だな、と拓也は直感した。

「気をつけてもらわないと困るんだよな」と直樹はいった。やや聞きとりにくいほど、曇った声だ。「はっ?」と拓也は聞き直した。

「妙な噂が流れると、こっちの方が迷惑するんだよ」

拓也は黙って直樹の横顔を見ていた。どう答えていいのかわからない。そばで仕事をしている数人の社員は、このやりとりを聞いているのか、物音ひとつたてない。

「誤解を受けるような行動は慎《つつし》んでもらいたいな。親父が——」

といって直樹は一拍置いてから続けた。「専務がどういうつもりなのかは知らないが、星子の将来については、俺がいろいろと考えてるんだよ。君のような番外の人間に、チョロチョロされると困るんだ」

わかったか、と直樹はファイルから顔を上げた。

拓也は困惑した。どういうつもりでこんなことをいうのか、全く理解できない。相変わらず

黙っていると、

「わかったのか」

と直樹は睨んできた。

「わかりました」と拓也はしかたなく答えた。

直樹は頷いてファイルを閉じると、それ以上何もいわずに隣りの部屋に消えた。

だが拓也が自分の席に戻ると、すぐに直樹から電話があった。

「すまなかったな」と彼はまずいった。「君なら打ち合わせなしで、うまく芝居してくれるだろうと思っていたよ」

「いったいどういうことなんですか」

思わず声がとがるのが、自分でもわかった。

「計画の一環だよ。じつは君と星子とのことを知っている人間が何人かいるらしいと気づいたんだ。たぶん宗方氏あたりが情報の出どころだろう。で、このままだとあまりよくないと思ったんだ。というのは、今度の計画は、共犯の三人の間に密接な関係がないというのが大前提だからだ。しかし君が星子の婿候補となると、俺と君との間柄は急に親密なものになってしまう。もしどちらか一方が疑われた場合、警察はもう一方との共犯の可能性を見いだすかもしれないわけだ」

「それは考えられますね」

「それで今回の芝居を仕組んだわけさ。君が星子の婿候補だということを俺が認めていなければば、君と俺との関係は何もないことになる。むしろ他の社員には、我々の仲が険悪なものに映っただろう。こういう布石は、もしもの時に役立つものだよ」

「なるほど」

答えながら拓也は、直樹は今度の殺害計画を楽しんでいるのではないかと思った。そうでなければ出てこない発想だ。

「ところで室長」

「うん？」

「先程の言葉は完全に芝居だったわけですか。星子さんの将来については考えておられるということでしたが……」

すると直樹は拓也の心中を察したように、電話の向こうで笑いだした。

「心配らしいな。じつをいうと俺は、星子が誰と結婚しようと知ったことじゃないと思っているんだ。それなのに親父は俺に選ばせようとしている状態で、正直なところ迷惑な話さ」

「そういうことですか」

「そういうことさ。だから心配せずに、今度の計画に全力を投入してくれ」

まるで仕事上の指示をする時のように、終わりの方は真剣な口調に戻っていた。

こうして三日が過ぎた。三人は再び同じホテルに集合した。

「康子のアパートの近くに、ゴルフのミニコースがあります。照明がないので夜は真っ暗だし、人通りも全くといっていいほどありませんでした。ここに死体を捨てておけば、朝には確実に発見されるでしょう。それに通り魔の仕業と判断される可能性も強いと思います」

この二日間でかなり下調べをしたらしく、橋本は彼にしては自信ありげなようすで説明した。たしかにミニ・ゴルフ場とは、いい狙いだと拓也は思った。直樹も納得したらしく橋本の提案を採用した。

死体の受け渡しをする場所については、約束通り拓也が決めた。名古屋では駅の東側にある駐車場、厚木では高速を降りて数キロ北上したところにある空地を選んだ。

「ここに簡単な略図を描いておきました。間違わないように」

彼が渡したメモを見て、二人は頷いた。

「さてと、これですべて決まったわけだな。じゃあここで、もう一度最初から計画を眺めてみよう」

直樹は何か楽しいプランでも練るように、弾《はず》んだ声を出した。

7

時計が一時半を表示した。予定よりも順調だ。もうすぐ厚木の出口が見えてくる。

長い一日がようやく終わりそうだな――拓也は太いため息をついた。

本当に長い一日だった。出張という名目で今朝東京を出発してから、何時間たっているだろう。

彼はある研究用設備購入のための見積取得に名古屋の某メーカーを加え、実績及び機械の能力調査という名目で出張できるようにしたのだった。日帰りが当然の距離ではあるが、いろいろと理屈をつけて泊まりの許可を得た。拓也の出張について、上司がとやかくいうことは殆どない。

名古屋に着くと、最初から採用する気のない業者と、そんな内心などおくびにも出さずに会った。相手は大歓迎のようすだった。

出張の目的などは半日ほどで達せられるはずだったが、彼はわざと引き伸ばし、翌日のために少し作業を残しておいた。それが見ようによっては熱心と取れるのか、相手業者は喜んでいるようすだった。拓也に名古屋の夜を案内すると申し出てきたほどだ。だが彼は十時頃まで一緒に食事しただけで、酒の席は丁重に断わった。今日の結果をホテルでまとめたいからというと、彼らに返す言葉はない。

駅前に予約してあるビジネスホテルのチェックインを済ませ、部屋で服を着替えると、ルーム・キーを持ったまま外に出た。そして約束の駐車場に行く。

駐車場はあまり混んではいなかった。まだまだスペースがある。拓也は目的のバンを探すのにさほど時間はかからなかった。何となく想像したとおり、一番隅に置いてあったのだ。

窓から中を覗きこんでみた。後部荷台に、ブルーの毛布にくるまれた長く大きな荷物が横たわっていた。荷物の正体を知っているからか、毛布の凹凸はくっきりとそのものの形を示しているように彼には見えた。

馬鹿な女だ——拓也は、ふんと鼻を鳴らした。変な欲を出さなければ、少しぐらいの金なら恵んでやったのに。

バンの後ろに回ると、車体の裏にガムテープで張りつけてあるキーを見つけだした。右側ドアを開けて乗りこむ。ルーム・ミラーを調節して、もう一度後部を見た。どのような方法で殺したのか、血や汚物の飛散はなかった。

もう後戻りはできないな——口の中で呟いて、彼はエンジンをかけたのだった。

駐車場を出て、真っすぐに東に走る。名東区《めいとう》にある名古屋インターチェンジに入ったのが、十時三十五分だった。


厚木の出口が見えてきた。

拓也は一番左側の車線に入った。

高速道路を降りると一二九号線を北上する。いつもは混む道だが、さすがにこの時間帯だとすいている。本厚木《ほんあつぎ》の駅を過ぎ、少し行ったところで左折した。一気に灯りが少なくなり、倉庫のようなものが並んでいる。

さらに細い道に入ったところで彼は車のスピードを落とした。ゆっくりと進んでいく。資材置場と思われる空地に出たあたりで舗装は終わっていた。

空地の隅の方に、白いセダンが停まっていた。拓也は近づきながら車のナンバーをたしかめた。間違いない。橋本の車だった。拓也は死体の移しかえをやりやすくするため、お互いの車の後部が向き合うように停車させた。

「予定通りですね」

拓也が車から降りると、橋本もドアを開けて出てきた。灯りといえばヘッドライトの光ぐらいしかない。それでも彼の頰が硬直したようになっていることに拓也は気づいた。

「積んでるんですか？」

拓也のバンを見ながら橋本は訊いた。少し声が震えている。

「当たり前だろう」

拓也はバンのハッチを開いた。毛布に包まれたものを見て、橋本は一瞬目をそらせた。そして自分の車のトランクを開けた。

拓也はバンの荷台に乗りこむと、早く来いという代わりに橋本の方を見て顎を振った。

「ちょっと……待ってください」

荷台に乗りこんでから橋本は、両膝をつき、死体に向かって手を合わせ瞼を閉じた。少しでも気を楽にしたいということだろう。こういう心理は拓也には理解できない。こんなところで合掌するぐらいなら、殺しに加わらなければいいのだ。

「数珠《じゅず》を持ってくるんでしたね」

目を開けてから橋本は軽口を叩いたが、相変わらず口調は強《こわ》ばったままだった。

「そっちを持ってくれ」

死体の脚部と思える方を拓也は掌で示した。橋本は頷き、緊張した手つきで毛布ごと抱えた。

拓也は死体の上半身を起こした。思ったよりもずっと硬く、しかも大きい。体温は感じられない。

「なるべく死体の姿勢を動かすなよ。動かしたことはできるだけ隠したいんだからな」

死斑《しはん》や死後硬直などの死体現象について、直樹が話していたのを覚えている。

「重いですね」

腰を落とした姿勢で下がりながら橋本が喘《あえ》ぐような声を出した。たしかに重い。意識のない人間を運ぶのがいかに難しいかは、人命救助を職業にしている人々がよくいっていることだ。

「こんな重いもの、僕一人じゃ処分できませんよ」

ようやくセダンのトランクに載せたところで、橋本が訴えるような顔をした。「お願いです。手伝ってください」

「今さら泣き言をいうなよ。俺はこれからひっかえさなきゃならないんだ」

拓也は自分の車のハッチを閉めた。

「朝までに戻ればいいんでしょ。ここからだと死体を捨てる場所まで一時間で行けます。それから戻ったっていいじゃないですか」

「だめだ。モーニング・コールを七時に頼んである」

それもアリバイ証明に役立つはずだった。

「間にあいますよ」

「無茶をいうな。間にあわなかったらどうする？」

「どうもなりませんよ。ホテルマンが変だなと一瞬思うだけです。それよりも僕の作業の方が重要問題だ。僕が死体を捨てる間、見張ってくれるだけでもいいです」

「そのホテルマンの一瞬の不審が重要な証言になるかもしれないんだ。おまえも男なら約束を守れよ」

拓也がいい放つと、橋本はふてくされたような顔をし、次に情けなく眉の端を下げた。

「わかりましたよ。じゃあ、死体をもう少しだけ奥に動かすのを手伝ってください。このままじゃトランクが閉まらないんで」

「あまり奥に入れると、今度は出すのが大変だぜ」

死体を持ち上げようとした時、毛布の端が少しめくれた。

「おっと」

拓也は瞬間目をそらし、そのあとすぐに毛布を戻そうと手を伸ばした。めくれた隙間から足先が覗いている。それを見て彼は手を止め、そのまま硬直した。

橋本も何もいわない。

奇妙な沈黙はおそらく数秒ほど続いた。拓也はゆっくりと顔を曲げ、橋本の方を向いた。橋本も拓也を見ていた。

「おい」

拓也は低く呼びかけ、目だけを死体に移した。そしていった。「これ……康子じゃないぜ」

毛布の隙間から覗いていたのは康子の足ではなかった。全然違っていた。

「……どうしましょう?」

ようやく橋本が声を出した。犬のように荒い息をしている。

「どうするって……見るしかないだろ」

拓也は唾を飲みこみ、毛布をおそるおそるめくっていった。そして死体の顔が現われた時、橋本は思わず後ろに尻もちをつき、小さな悲鳴をあげた。

「どうなっているんだ」と拓也は呻《うめ》いた。「どうして仁科直樹の死体なんだ」

第二章　殺しのエラー

1

狛江市《こまえ》――。

そのマンションは世田谷《せたがや》通りから少し北に入ったところに建っていた。多摩《たま》川には徒歩数分で出られる。交通量は多くなく、静かで環境がいい。

マンションは三階建てだ。全室南向きで、東側に駐車場がある。自動車通勤している者は少ないが、それでも駐車場に空きはなかった。びっしりと車が並んでいる。

このマンションに小さな印刷所を経営している男がいた。父の仕事を引き継いだのだが、あまり楽な仕事とはいえなかった。急ぎの仕事の場合など、前夜のうちに荷物を自分の車に積んでおき、翌朝早くに直接顧客に届けるということもある。

今朝がそういう日だった。どうしても今日の午前中に欲しいという無理な注文に応じ、昨夜は十時過ぎまで印刷機を動かしていたのだった。小さな印刷所は、多少の無理でもきかないと商売にならない。おかげで昨夜帰宅した時には十一時を回っていた。

彼の駐車場は奥から二番目だった。数年前に買ったライトバンだ。

彼の車の奥にはボルボが停まっていた。その車の持ち主を時々見たことがある。彼よりも十歳ぐらい年下らしいが、独身だから余裕があるのか、身につけているものも高級品ばかりだった。

だいたい独り者がこのマンションに入っていること自体が贅沢《ぜいたく》だと、彼は思った。二十三区内ではないが、最近の地価高騰で一般のサラリーマンには手が出ないほどの価格になっているのだ。ところがボルボの持ち主は、このマンションでも一番広くて環境のいい部屋に入っている。

たぶんまともな職業じゃないんだろう——妬《ねた》み半分で想像していた。

彼は車に乗りこむと荷台の荷物をチェックし、間違いないことを確認してからエンジン・キーを回した。そうしながらミラーの位置を確認する。左側のミラーが曲がっていることに気づいて彼は舌うちをした。電動ミラーなどという気のきいた装備はついていないのだ。左側に身を乗り出し、窓ガラスを下げる。手を出してミラーを動かした時、そこにそれが映った。

誰かいる、と彼は思った。ミラーに映ったのは人間の手だったからだ。彼はさらに身体を伸ばして、窓から顔を出した。

数秒後、彼はエンジンをかけたまま車からとびだした。

「死後十二時間ぐらいは経《た》っているね」

東都大法医学研究室の安藤《あんどう》助教授は、金縁眼鏡を指で押しあげながら落ち着いた声でいった。

佐山総一《さやまそういち》は腕時計を見て計算する。現在午前七時二十六分だから、殺されたのは昨夜の七時頃か。

「後ろから絞めたようですね」

「そうだね。紐が首の後ろで交差している。背後から襲われたのだろう」

死体は二台の車に挟まれるようにして横たわっていた。発見者の証言によれば、隣りのボルボの持ち主に間違いないという。所持していた免許証と名刺から、マンションの三〇三号室に住む仁科直樹と判明した。年齢は三十三歳で、ＭＭ重工研究開発部開発企画室室長と名刺にはある。

「佐山」

名前を呼ぶ声がしたので振り返ると、谷口《たにぐち》警部がこっちへ来いというように顎をしゃくっていた。

「死体を発見した印刷屋だが、昨夜帰ってきたのは十一時過ぎらしい」

谷口は、ふだんから猫背気味の身体をさらに少しかがめていった。

「変ですね」と佐山はいった。「安藤先生の話では死後十二時間以上は経過しているということです。どこかで殺してここまで運んできたということになりますね」

「真夜中に運んできたのだろうな」

「住人の中に何か知っている者がいるかもしれませんね」

「今、聞き込みをさせている。我々は被害者の部屋を見てみよう」

谷口がマンションに向かって歩きだしたので佐山も後に続いた。建物を見上げると、いくつかの窓が開いていて、住人たちが駐車場を見下ろしていた。

三階に上がり、階段のすぐ横が三〇三号室だった。すでにドアが開け放たれ、何人かの捜査員が足を踏み入れている。谷口も入っていったが、佐山は隣りの三〇二号室のチャイムを鳴らした。出てきたのは三十代半ばぐらいの女性だった。主婦らしい。

佐山は、昨日隣りの部屋から何か物音が聞こえなかったかと尋ねた。主婦は首をふった。

「夜も全然物音なんて聞こえてきませんでしたよ。それにしてもあの仁科さんがねえ」

彼女は隣りの方にちらと視線を投げると、眉をひそめてみせた。

「昨日は仁科さんの姿をごらんにはなっていないのですか」

「いいえ、朝お出かけになるところを見ました。六時頃だったかしら。いつもよりも一時間以上早かったですね」

ということは通常の出勤ではなかったということか。

「服装はどういう感じでした？」

「どういうって、普通でしたよ。きちんとグレーのスーツを着ておられて、書類鞄か何かをお持ちでした」

佐山は無言で頷き、このことを手帳に書きとめた。それから顔を上げ、あらためて仁科についての印象を尋ねた。

「あまりよくは知らないんですけど、少し変わった人でしたね。ベランダに出て何十分もぼんやりと外を眺めていたり……。そういえば多摩川でトランペットを吹いているのを見たことがあります」

「よく話をされるのですか」

「いいえ、会った時に挨拶する程度ですけど」

次に、直樹の部屋に出入りしていた人間を見たことはないかと佐山は訊いた。彼女は頬に手を当て、顔を傾けて考えこむようすだったが、

「さあ、よく知りませんわ」

と答えた。

主婦に礼をいうと、佐山は三〇三号室を覗いた。彼は中のようすを見て一瞬言葉を失った。

「嵐がきたみたいだろ」と谷口が近づいてきた。

「ひどいですね」と佐山はいった。

たしかに室内はちょっとした台風でもきたのかと思えるような状態だった。独身にしては広過ぎると思える3LDKだが、すべての部屋が何者かによって徹底的に荒らされているのだ。

佐山は手袋をつけながら見回ってみた。洋服ダンスや整理棚からは全ての衣類が引っ張りだされ、床に散らばっている。本棚には殆ど本が残っていない。机の引出しは全部引き抜かれ、中身はぶちまけられていた。

「冷蔵庫の中まで荒らしてあるんだ」と谷口はいった。

「何か探しものをしたようですね」

「らしいな。犯行現場はここではないと思うが」

「ないでしょうね。ここなら、敢《あ》えて駐車場に死体を移動させる意味がありませんからね。犯行現場を知られたくないから、死体をわざわざ運んだのでしょう」

「死体を運んだついでに、この部屋を荒らしていったということか」

「たぶんそうでしょう。これだけの仕事を、隣家の人間に全く気づかれずにやったのだから、なかなか用心深い性格らしいですね」

「問題は、犯人が目的のものを見つけたかどうかだな」

「何か手がかりはないんですか」

「手がかりといえるかどうかわからんが……。こっちへ来てみろ」

二人はリビング・ルームに入った。テーブルの上にはトランプ・カードと灰皿が置いてあった。その灰皿を谷口が示した。

「紙を焼いた形跡があるだろう」

「なるほど」

何かの紙を丸めて灰皿の中で燃やしたらしい。紙は黒い灰となって崩れている。

「何か字が書いてあったんでしょうね。なんとか読めませんか」

「少しだけ読める字が残っている。アルファベットだ。AとB、それからCの文字もあるようだ。あとはよくわからない。科捜研に依頼するつもりだが」

「ABCね。焼いたのは仁科自身でしょうか」

「だと思うな。犯人がやった可能性は低い」

「犯人なら、持ち出してから、よそでゆっくり処分すればいいですからね」

「ABC殺人事件か。なんとなく厄介な話になりそうだな」

谷口は横のトランプ・カードを一枚取ると、テーブルの上で表を向けた。ジョーカーが不気味に笑っていた。

警視庁捜査一課の佐山は狛江署の矢野《やの》と共に、この日の午前中にMM重工を訪れた。矢野は佐山よりも九歳年下で、まだ二十代である。背が高く、厚みのある体格をしている。ふだんから鋭そうな目をさらに輝かせて、初めての殺人事件捜査に張り切っていた。

「合点がいかないですね。仁科は何かの事情で大阪から戻ってきたんでしょうか」

MM重工の来客室で相手を待つ間、矢野が抑えた声でいった。四畳半ほどの狭い部屋だが、防音はしっかりしているし、応接セットも粗悪な代物ではない。この部屋とは別に、多数のテーブルが並んだ来客ロビーというものもあったが、佐山たちが受付で名乗ると、ブルーの制服を着た受付嬢はやや硬い表情のままこの部屋へ案内してくれた。彼女たちもある程度の事情は承知しているらしい。

「戻ってきて殺された、とはかぎらないさ。殺されてから運ばれたのかもしれない」

矢野よりもさらに小さな声で佐山は答えた。

「大阪で殺して東京まで運ぶんですか？」

矢野は目を丸くした。「大変な仕事ですよ。どうしてそんなことをする必要があるんですか」

「それはわからない。そういう可能性もあるといっただけだ」

「俺は仁科自身が東京に帰ってきて殺されたのだと思いますがね」

「想像は自由さ」

そういうと佐山は腕を組んで瞼を閉じた。彼には彼なりに考えるべきことがある。

仁科直樹の身元が判明した時、すぐに実家と会社に連絡した。実家はそれほど遠くはない。父親の敏樹がＭＭ重工の専務と聞いて、佐山は納得した。仁科一族のことは聞いたことがあった。

遺体の確認に現われた敏樹は、ひと目見て自分の息子だと断言した。多少息が乱れてはいたが、こういう事態に直面しているとは思えぬほど落ち着いた口調だった。ただハンカチを握りしめた右手だけは、終始震えたままだった。

「何か手がかりは？」と敏樹は遺体を見据えながら訊いた。まだこれからですと捜査員の一人が答えると、

「一刻も早く犯人を捕まえてくれ。協力は惜しまない」

その捜査員を睨みつけるようにしていった。

全力を尽くします、と佐山たちは頭を下げた。

一方、会社側からはきわめて興味深い情報が得られた。直樹は昨日から大阪に出張している

はずだというものだった。ロボットの国際学会を聴講するというのが出張の目的らしい。とすれば、直樹がいつもよりも早い時刻に家を出ていったという、隣りの主婦の証言にも頷ける。

大阪に行ったはずの直樹の死体が東京で見つかった――たしかにこのことは矢野のいうように不可解だ。だがそれ以前に佐山には気にかかることがある。なぜ犯人は、わざわざそんな時に直樹殺害を計画したのかということだ。犯人にとって何か都合のいいことでもあるのか。

ドアをノックする音がしたので返事すると、四十前ぐらいの男が姿を見せた。ひょろひょろと痩せていて、顔色が悪い。そのくせ佐山たちを値踏みするように一瞥した視線には、ある種の鋭さが含まれていた。

お待たせしましたといいながら男は名刺を出した。開発企画室副室長萩原利夫《としお》となっている。殺された直樹の部下ということだが、萩原の方が明らかに年上なのを見て、佐山は奇異な印象を受けた。これが要するに仁科家の権力ということなのだろうが。

佐山たちも名乗ってから、すぐに用件に入った。仁科直樹がどういう人物だったかを尋ねてみる。萩原はピクッと顎を横に振ると、

「率直に申し上げると、気の毒な人だと思っていました」といった。

「気の毒、というと?」

「ああいう立場の人ですから、おそらく親戚筋の方々の期待が大きかったんじゃないでしょうか。ご本人はその期待を持て余しておられるように見えました」

妙にへりくだった物言いをする男だと佐山は思った。

「仕事の上ではどうでしたか」

佐山が訊くと、答える前に萩原はまたピクッと顎を動かした。頭の中で考えを素早くまとめようとした時に、この癖が出るらしい。

「仕事……にはあまり関心がおありじゃなかったようですね」

「どういうことですか」

「大抵はご自分の部屋にこもられたきりで、あまり我々のところには出てこられなかったのですよ。何かご相談しても、君たちのいいようにやってくれとおっしゃるだけです。報告書には目を通されてましたが、不備を指摘されるようなことは殆どなかったですね」

「それで業務に支障はないのですか」

「ええ、今のところは。私のところで充分にチェックしますしね」

自分さえいれば、室長など不要なのだという口ぶりだった。それは佐山が業務内容について尋ねた時、より顕著に現われた。

「研究開発部の研究員たちは、ただやみくもに専門分野の研究を進めているわけではなく、やはり開発すべき対象があるわけです。そしてその対象ごとに大小のプロジェクトが組まれています。開発企画室はそのプロジェクトの運営係であり、調整役であるわけです。オーケストラの指揮者といえばわかりやすいかもしれませんね。各プロジェクトの担当者は、その経過を逐《ちく》一《いち》私の方に報告してくれますから、私の方で気づいたことがあれば指示を与えるというわけです。まあ、なかなか順調に運営されていると自負しています」

おしまいの方は、自信たっぷりというところだった。

「そうすると、仁科さんが仕事上のトラブルに巻きこまれていた、ということはないんですか」

「ありませんね。ないと思います」

そう答えて萩原はまた顎を動かした。

「では仕事以外のことで、何か最近変わったことはありませんでしたか」

「仕事以外、ですか」

萩原の目が微妙に揺れたようだ。しかしそのまま黙って見つめる。

「いや……なかった、と思いますが」

「正直に話してくださいよ。本当になかったんですね」

突然矢野が大きな声を出した。佐山は彼の膝を叩いてなだめる。こんなところですごんだところで仕方がない。

佐山はボールペンの先で手帳を数度叩いてから、改めて萩原の顔を見た。

「ところで今回の出張について何かご存じですか」

「学会の聴講と聞いています」

「そういう出張はしばしばあるのですか」

「ありますが、室長が出席されるのは珍しいですね。大抵は若手社員に命じておられましたから」

「ほう」

気にかかる証言だと佐山は思った。仁科直樹はなぜ今回に限って自ら出席しようとしたのか。

「出張のことを、仁科さんからは、いつお聞きになりましたか」

「ええと、いつだったかな」

萩原は手に持っていた黒カバーのノートを開いた。日程表の頁をめくっている。

「たしか一週間前ですね。泊まりで大阪に行くから、よろしく頼むといわれました」

「仁科さんの出張のことは、萩原さん以外にどなたが知っておられましたか」

「部下は全員知っていました。それ以外はちょっとわかりませんが」

「なるほど。ところで仁科さんの遺体は狛江の自宅付近で見つかったのですが、泊まりの予定を変更するような何かが起こったのでしょうか」

だが萩原は即座に首をふった。

「それについては全く心当たりがありません。わざわざホテルまで予約してあったのですから」

「そうですか」

萩原からはほかに有効な情報を得られそうにないので、部下の人間を誰か一人呼んでほしいと佐山はいった。

「では手の空いている者を呼んできましょう」

萩原は腰を浮かせたが、

「この電話でお呼びいただけますか」

といって佐山は部屋の隅に置いてある社内電話を指差した。萩原が部下に、妙な口止めをするのを防ぐためだ。

萩原は気が進まないようすだったが、自分の職場に電話をかけて部下を呼んだ。笠井《かさい》という男が来るらしい。

五分後にその笠井が来客室に現われた。直樹よりふたつ下という話だから三十は過ぎているはずだ。しかし佐山の印象としてはまだ大学を出たばかりという感じだった。童顔ではないが、やや線が細く、顔だちが甘すぎるのだ。

萩原は腰を上げて部屋を出ていき、代わりに笠井が佐山たちの前に座った。

「お仕事中、申し訳ありませんね」

佐山がいったがこれには答えず、

「強盗に襲われたとか、そういうのではないんですか」

と好奇心をあらわにして訊いてきた。見かけどおり、口が軽そうだ。

「まだ何もわからないんですよ。もちろんそういう可能性もあります」

こう答えたが、じつのところ強盗のセンはないというのが佐山の考えだし、警察側の見方だった。単なる強盗ならば、死体を移動させる理由がない。また死亡推定時刻が昨夜の七時前後というのも、強盗にしては早い時間帯だ。

「それにしてもあの室長さんが殺されるとはね。全く一寸先はわからないなあ」

ありふれた感想を述べ、笠井は無念そうな顔を作った。

続いて佐山が萩原にしたのと同じような質問を始めた。笠井の口からは、萩原とは少しニュアンスの違った台詞《せりふ》が出てきた。

「たしかに室長は、正直にいって、お飾りみたいなところもありました。でも、室長が仕事に積極的でないのには、他の理由もあるんですよ」

「というと？」

佐山が先を促すと、自分がしゃべったとはいわないでくれと断わってから続けた。

「副室長が意図的に室長を疎外しているという部分もないわけじゃないんです。そりゃあ年下の人間が上司っていうのは面白くないかもしれないけれど、プロはそのくらいのことを我慢すべきだと思いますね。萩原さんは、企画室は副室長でもっている、と皆に思われたくてしかたがなかったみたいですよ」

「すると仁科さんと萩原さんの仲は、あまりうまくはいってなかったわけですか」

「そうですね、よそよそしかったってところですね。あっ、でも、副室長は昨日遅くまで残業しておられたみたいですよ」

萩原に容疑がかかりそうになるのを感じたのか、笠井はあわてて付け足した。

佐山は苦笑して頷いてから、最近直樹の回りで変わったことはなかったかと訊いた。萩原に質問した時にも少し変化があったが、笠井の場合はもっとはっきりしていた。

彼は少し身を乗りだすようにして、

「副室長からお聞きになっていないんですか。妹さんのこと」

と声をひそめていった。

「妹さんのこと？　いいえ。どういう話ですか」

するとと笠井はもったいをつけるように咳をして、「これも僕がしゃべったことは内緒にしてくださいよ」と前置きした。

話は、仁科直樹の妹星子についてのことだった。彼女の婿養子候補と噂される男の存在、そしてその男に対して直樹が吐いた言葉。

「ちょっとひどい言い方だと思いましたね。いくら仁科家の跡取りでも、妹の結婚にまで口だしすることはないですよね」

自分のことのように笠井は唇をとがらせた。

「ふうむ、そういうことがあったわけですか」

興味深い話だと佐山は思った。星子と結婚するには、直樹の許しがなければならなかったわけだ。しかし直樹は反対していた。

末永拓也か――。

会ったことのないその男に、強烈に自分の気持ちが引かれていくのを佐山は感じた。

2

中森弓絵《ゆみえ》は開発企画室に配属されて以来ずっと、八時十分には出社していた。始業時刻が八時四十分なので、それまでの三十分間に机を拭いたり、花の水を取り換えたりするわけだ。そういう雑務を弓絵は別に嫌いではない。休みの日でも、早起きして部屋の掃除をするのが好きだ。

だが今朝はその必要がなかった。着替えのために更衣室に入った時、とんでもないことが起きたことを知った。

仁科直樹が死んだというのだ。しかも殺されたらしい。

事件のことを教えてくれたのは、弓絵の同期の朝野朋子《あさのともこ》だった。朋子は丸い頬を紅潮させ、息を弾ませて、自分が仕入れた情報を披露してくれた。自宅のマンションの駐車場で見つかったこと、事態の収拾に重役たちが集まっていること——。

「信じられない」と弓絵は呟いた。「どうして仁科さんが……」

彼の死については、この日の始業直後に副室長の萩原が部下を集めて正式に発表した。このことで新聞社などから問い合わせがあるかもしれないが、無責任な発言は慎むようにとのこと。

「特に中森君は注意してくれよ」

萩原が弓絵の方を見ていうと、他の社員の視線も彼女に集中した。弓絵は頷き、そのまま下を向いた。

解散したあとも若手社員が何人か集まって、事件のことを話し始めた。その声は弓絵の耳にも届いた。

「昨日は大阪に出張だったはずだよな。ということは夜遅くに帰ってきたところを襲われたのかな」

　集まっている中では年長の笠井が、押し殺した声でいった。

「もともとは泊まりの予定でしょう。国際学会は今日までだという話でしたから」

　他の社員がいった。

「だから何か急用ができたのかもしれない。でないと東京まで帰ってくる理由がないものなあ」

　笠井がそういって腕を組んだ時、弓絵と目が合った。彼はちょっと気まずそうな顔をすると、咳《せき》ばらいをしてから自分の席についた。他の者も弓絵に気づくと、黙ってそれぞれの持ち場に戻っていった。

　弓絵も隣室にある自分の席に座った。窓際には仁科直樹の机がある。この一年あまり、彼女はこの部屋で、ずっと彼と二人きりだったのだ。

　彼女の業務は、開発企画室の社員たちの勤怠処理や残業計算といったことだった。入社直後は設計部にいたのだが、一年前、突然この職場に配置転換されたのだ。その理由については、彼女自身も知らなかった。

　また、なぜ自分だけが直樹と同じ部屋に入れられたのかも、弓絵にはわからなかった。噂によると直樹の考えらしい。またその噂には、直樹は設計部にいた弓絵を気に入って、自分のものにするために引き抜いたのだという尾鰭《おひれ》がついていた。企画室の社員たちが未だに彼女を変な目で見るのも、そのせいなのだ。

もちろんそれは単なる噂にすぎなかった。この一年間、直樹がそういう態度に出たことなど一度もない。食事に誘われたこともなかった。仕事の合間に、冗談まじりの会話を交わす程度だった。ちょっと考えてみれば、直樹のようなサラブレッドが、地方出身の、特別美しくもない小娘を相手にするはずがないのは明白なのだ。

弓絵自身もまた、彼を男性として意識したことはあまりなかった。立場が違いすぎるし、年も離れている。何より直樹という男には、何か近寄りがたいような雰囲気がいつも漂っていた。隙がない、とでもいうのだろうか。誰に対しても、自分の本当の気持ちは内ポケットに隠しているようなところがあったのだ。

だけど、と弓絵は思いだす。彼が時折りふと見せる優しさに、引かれることがあったのも事実だった。あの優しさは一体何だったのだろう。

そんなふうに考えていると、やはり胸の奥から何かがこみ上げてくる。弓絵はそれをこらえるために深呼吸を何度かすると、机の横に設置してあるコンピューター端末機のスイッチを入れて出張旅費の計算を始めることにした。機械的な作業は、感情を静める効果がある。

開発企画室は他の職場に比べて出張は多くないが、それでも月に最低数人が出張届けを提出していた。殆どは首都圏だが、大阪や名古屋などに行くことも多い。そういう場合は弓絵が新幹線や飛行機の切符を手配するのだ。

弓絵はキーを叩く手を止めて、直樹が届けを出した時のことを思いだした。あれはそう、一週間前のことだ。

往復とも新幹線でいいですね、と彼女は直樹に尋ねた。

「いいよ、急ぎの用でもないからね。学会の聴講というのは楽な出張だよ」

「お泊まりなんですね。ホテルは会場の近くがいいですか」

国際学会の会場は、中ノ島の近くにあるビルだった。

「いや、新大阪の近くがいいな。ホテルに荷物を預けてから会場に行けるからね」

「わかりました」

それで弓絵は新大阪周辺にある会社指定のビジネスホテルの中から、大阪グリーンホテルを予約したのだった。

だが今から考えると、やはり少し妙だ。

荷物を預けるといっていたが、男性一人が仕事で一泊する程度なら大した荷物にはならないはずだ。それよりも、翌日も学会に出るわけなのだから、やはり会場に近い方が便利なのではないか。

それが事件に関係しているのだろうか、というところまで考えを進めたところで弓絵は小さく頭をふった。まさかそんなことはないだろう。新大阪にホテルを希望したのは、ほんの軽い気持ちだったに違いない。

キーを叩く作業を再開しつつも、弓絵は直樹のことを考え続けていた。あまりゆっくりと話をしたことなどないが、残業で遅くなった時、途中まで一緒に帰ったことがある。最初はいつものような雑談だったが、そのうちに恋人や結婚の話になった。しばらくは考えたくないのだと彼女がいうと、直樹は小さく頷いた。それから立ち止まり、何かいいたそうにじっと彼女の目を見つめた。どうしたんですかと問うと、いや何でもないといって再び歩きだした。それは狼狽ともいえるもので、直樹がそんな表情を見せるのは、弓絵の知るかぎりでは、それが初めてだった。

あの時彼が何をいいたかったのか、それを知ることもできなくなったのだ。

仕事が一段落すると、弓絵は廊下に出て湯沸かし室に向かった。仕事の合間にそこで休憩するのが楽しみのひとつだ。MM重工はインスタント・コーヒーの自動販売機が完備されているので、普段は女子社員がお茶くみをさせられたりすることはない。

湯沸かし室のドアを開けると先客がいて、部屋の隅で椅子に腰かけていた。弓絵のよく知っている女性だ。このぐらいの時間になると、いつもここには誰かがいる。

「こんにちは」と弓絵は声をかけた。

だがその女性はぼんやりと考えごとでもしていたのか、ドアが開いたことにも一瞬気づかなかったような顔つきだった。それから弓絵の顔を見て、あら、というように口を半開きにした。

「どうしたの?」と弓絵は訊いた。

「ううん、何でもないの。ちょっと一休み」

相手の女性はそういって腰を上げると、弓絵には一瞥《いちべつ》もせずに出ていった。いつもならば冗談のひとつやふたつは交わす仲なのだが。

どうしたんだろう、彼女らしくないな——。

雨宮康子の長い髪を見送りながら弓絵は思った。

3

荻窪《おぎくぼ》のアパートに辿り着くと、拓也は背広のままベッドに倒れこんだ。暑くもないのに全身が汗ばんでいる。喉は異常に乾いているし、心臓の鼓動も平静ではない。今日一日の緊張を思えば無理もないかと自己分析した。

ひどいことになったと呟きながらネクタイをはずす。今日の午後に名古屋から帰ると、何も知らない顔をして会社に寄ってみた。やはり会社中は大騒ぎだった。社の人間、しかも仁科家の長男が殺されたのだから当然といえば当然だ。

しかし拓也たちの計画では、今日MM重工内を揺るがせるのは、雨宮康子の死体のはずだったのだ。

その康子は生きている。

死んだのは直樹だ。康子を殺そうといいだした人間だ。

ひどいことになった——彼はもう一度呟いた。

拓也は昨夜の出来事を反芻《はんすう》してみた。厚木の空地で死体を移しかえる際に、それが直樹の死体だと気づいた瞬間の驚きは、到底言葉で表現できるものではない。拓也も橋本も、まるで凍りついたみたいにしばらく動けなかったのだ。声も出せなかった。

「いつ、すり替わったんでしょう」

橋本が頰をこわばらせて訊いた。すり替わったという表現が適切なのかどうか、拓也にはよくわからなかった。

「知るものか。少なくとも名古屋を俺が出発した時には、すでに中身は違っていたということらしいな」

途中で死体が勝手に替わるわけがない。

「でもどうしてこんなことに？」

「わからんよ」

拓也は首をふった。「康子に返り討ちにされたか……まさかな」

直樹が殺されたこともそうだが、死体を毛布でくるんでバンに積んであったという事実も不気味だった。犯人はなぜそんなことをしたのか。

沈黙が続いたあと、

「やむをえんな」

ようやく拓也はいった。「とりあえず死体をどこかに処分しよう」

「このあたりに捨てていきましょうか」

橋本は震えた声でいった。

「それはだめだ」と拓也は断言した。「死体の主は違うが、東京まで運んだ方がいい。直樹は何らかの理由で東京に戻り、それから殺されたと警察は判断するかもしれない」

いいながらも拓也は、そういうことはあまり期待できないと考えていた。死亡推定時刻などから、直樹が大阪で殺されたか東京で殺されたかは簡単にわかるだろう。拓也が東京に死体を移したかった本当の理由は、自分のいる名古屋からなるべく遠ざけたいということだった。

しかし橋本はそういう拓也の内心には気づかないようすで、死体を東京まで運ばねばならないと彼なりに納得したらしかった。

「で、やっぱり僕が一人で運ぶんですか」

「当たり前だろう」と拓也はいった。「死体は違うが、やることは一緒さ」

「でもいったいどこに捨てればいいんです」

橋本は泣きだしそうな顔をした。

「室長は狛江にマンションを借りていたはずだ。その近くに隠しておけば、明日の朝には発見されるだろう」

ああ、と橋本は頭を抱えた。

「こんな計画に乗るんじゃなかった。たとえ会社をクビになっても、殺人犯になるよりはましだったのに」

こういった橋本の襟首《えりくび》を拓也は摑んだ。

「今さら泣きごというなよ。とにかく一刻も早く何とかしなけりゃいけないんだ。文句いわずに運べ」

脅《おび》えた目のまま橋本は頷いたので、拓也は手を離した。こんな男に死体処理などという大仕事を託さねばならないのが歯痒《はがゆ》かった。しかしそれ以外に道はないのだ。

「頼むから見つからないようにしてくれよ。おっと、その前に」

拓也は直樹の服のポケットを探った。例の連判状を回収しておかなければならない。死体の中継場所を指示した紙もだ。

だが――。

二つの紙は見つからなかった。拓也は顔から血の気のひいていくのがわかった。あれが第三者の手に渡ったりしたら身の破滅だ。

「まずいな」

拓也は下唇を噛んだ。「室長を殺した犯人が持ち去ったのかもしれん」

「そんな……」

橋本も青ざめた。

「とにかくこれ以上時間を無駄にするわけにはいかない。出発しよう」

拓也は車に乗り込むと、エンジンをかけた。そして橋本の車の横につけると、窓を開けていった。

「死体を処分したあと、トランク・ルームをきちんと掃除しておけよ。それからつまらない証拠を残さないようにな。高速道路の領収書なんかは捨てたかい」

「あっ、これですか。今、捨てます」

橋本は領収書をつまみあげると、細かく破って車の窓から捨てた。小さな紙片が風に舞っている。

「さあ、行くぞ」

二人は車を発進させた。そして真っすぐ南下すると、拓也は東名高速道路の下り線に、橋本は上り線に入った。

拓也が高速道路を降りたのは豊川《とよかわ》インターチェンジだった。そこから南に走り、豊橋市に入る。豊川を越え、湊町《みなと》という地名の場所に辿り着くと、入り組んだ道を直樹のメモに従って進んだ。山中製材という看板が見え、その横に車庫があるのを見つけると、とりあえずは安堵した。車庫に車を置くと、拓也は駅に向かって歩きだした。時計を見ると、午前五時を過ぎたところだ。

駅前のタクシー乗り場には三台の車がとまっていて、どの運転手も帽子で顔を隠すようにして仮眠をとっていた。フロントガラスを叩いて起こし、素早く乗りこむと、

「名古屋まで頼む」

といってシートに身を沈めた。

ホテルに到着したのが六時二十分、誰にも見られないように気をつけながら部屋に入ると、疲れきった身体をベッドに投げだした。到底眠気を催すような状態ではないと思ったが、それでも少し微睡《まどろ》んだらしい。電話の音で目が覚めた。時計を見ると七時ちょうどだ。正確なモーニング・コールだった。

拓也がベッドから重い身体を起こしかけた時、今朝と同じように電話が鳴った。どきりと心

臓が一跳ねする。唾を飲みこんでから受話器に手を伸ばした。

電話の主は橋本だった。

彼とは今日職場で顔を合わせたが、二人だけでは何も話しあっていない。そういう機会がなかったのだ。

「昨夜は大変でしたよ」と橋本はまずいった。口調が重たい。彼にしても拓也と同様に――あるいはそれ以上に疲れ果てているはずだった。

「駐車場に死体を捨てたらしいな」

「ええ。最初は車の中に座らせようかと思ったんです。車の中で襲われたように見えるかと思って。でもとてもそんなことはできそうにないので、隣りの車との隙間に死体を置くだけにしました。とにかく重くって」

自分だけが厄介な仕事を背負わされたことに対して、抗議する口調だった。大変な作業だったということは拓也にも想像がつく。しかし礼をいったり詫《わ》びたりする理由はない、というのが彼の考えだ。

「誰にも見つからなかっただろうな」

「その点は大丈夫です。末永さんの方は？」

「うまくいった。車は室長の親戚の車庫に戻しておいたしな」

「そうですか。ところで……」

橋本は少し間を置いてから続けた。「康子は生きていましたね」

「ぴんぴんしていたな」と拓也は応じた。「あの女、昨日は有給休暇をとっていたのだろう?」

「とっていました。だから室長の誘いにのって、大阪に行ったはずなのですが」

「大阪に行って、殺されるはずのところが、逆に相手を殺したのか」

「考えにくいですね」

「室長がそんなヘマをするとはな」

「でももしそうだとすると、彼女は我々も室長の仲間だということを知っているはずですね」

例の連判状のことを橋本はいっているのだ。

「そのことは覚悟しておいた方がいいだろうな」

「ええ。じつは昨夜、死体を捨てる前に室長の部屋に入って、連判状を探してみたんです。手袋をしていましたから指紋がつく心配はありませんでしたが、隣りの住人に気づかれないかと緊張のしっぱなしでしたよ。本当はそんなことをせずに、死体を捨ててさっさと逃げたかったんですけどね」

ここでもまた恨めしそうな声を出したが、拓也はそれを無視して、

「しかし連判状は見つからなかったんだな」

と先を促した。

「見あたりませんでした。机の中や整理ダンスの中までも探したんですが。それから例の殺人計画書もありませんでした。室長が処分したんじゃないでしょうか」

「計画書の方はそうかもしれんな。あの人は慎重な性格だからな。そうか、やはり連判状はな

かったか」

「あれは室長が持っていたと思いますから、犯人が持ち去ったと考えるしかないでしょうね」

「そういうことだな」

「どうしましょう」

また気弱な声を出している。いらいらした。

「どうするもこうするもないさ。とにかく室長を殺した犯人をつきとめるしかない。考えてみれば、犯人が持っているのならばまだ救いがある。警察に渡したりはしないだろうからな」

「そうでしょうか。匿名《とくめい》で郵送したりはしないでしょうか」

「しないと思う。そんなことをしても犯人にとっては何の得にもならない。その匿名の手紙から足がつくのを恐れるはずだ」

「それならいいのですが……で、どうやって犯人をつきとめるんですか」

「とりあえずは康子だ。あの女から目を離さないようにしよう。いずれにしても何か知っているはずだ」

「そうですね。ところで……」

橋本は口ごもってから、「犯人をつきとめられたらどうするんですか？　それに康子のことも解決していないのですが」

拓也はため息を送話口に吐きかけると、

「それは犯人が判明してから考えるさ」

と、わざと投げやりな調子でいった。

受話器を置いてから拓也はもう一度ベッドに横になった。様々な思いが頭の中を駆けめぐり、なかなか思考が定まらない。康子のこと、連判状——。

仮に直樹を殺したのが康子ではなかった場合、犯人はなぜ自分たちの殺人計画を知っていたのか。知らなかったはずはない。知っていたからこそ、直樹の死体を例のバンに載せて、約束の場所に停車させておいたのだ。

犯人は最初から康子殺害計画を知っていたのか。

拓也は頭を掻きむしった。橋本の先程の質問が浮かぶ。犯人をつきとめられたらどうするのか——。

決まっている、と彼は思った。自分たちの身を守るためには殺人もやむをえないと、先日決めたばかりなのだ。

その方針は変わっていない。

拓也が再びベッドから起きた時、玄関のチャイムが鳴った。ドアを開ける前に覗き穴から見てみると、男が二人立っていた。若くて目つきの悪い男と、拓也よりも数歳上と思える男のコンビだった。

あるいは、と思いながら彼はドアを開けた。年嵩《としかさ》の男の方が、拓也が予想した通りの挨拶をした。

「警視庁のものです。お疲れのところ申しわけありませんが、少しお話を伺いたいのですが」

織細そうに見えるが、案外大胆な行動に出る男だ——これが佐山が見た末永拓也の印象だった。目が細く、顎がとがっている。表情から真意を見抜きにくいタイプかもしれないと思った。

仁科直樹の話題になると、「これから会社を背負うべき人だったのに」と無念そうに眉を寄せた。何となく型通りという感じがするが、それはこの男にかぎったことではなかった。佐山が当たった会社関係者は、例外なくこういう表情を見せたのだ。

4

「今日お伺いしたのは、あなたと仁科星子さんとのことで、お尋ねしたいことがあるからなんですよ。あなたが星子さんの婿候補だという噂は、事実なのですか」

いいながら末永の顔を見る。淡泊な表情に、少しだけ変化があったように思えた。

「そういう質問のされ方ですと、事実ではないとお答えするしかありませんね」

末永は言葉を選ぶように、ゆっくりと答えた。

「どういうことですか」と矢野刑事が訊いた。

「僕が婿候補だなんて話は、誰の口からも出ていないからです。時々星子さんとお会いしているのは否定しませんが」

「なるほど。交際はしているが、結婚の話はまだ出ていないということですね」

佐山がいったが、

「実際のところ、そういう次元ですらないのです。お嬢さんの遊び相手の一人というところです」

末永は小さく首をふった。

「しかしあなた方のことは会社で噂になったそうですね。そうしてそのことについて、仁科直樹さんから何かいわれたでしょう？」

知っているのか、という顔を末永はした。それから小指で耳の後ろを掻き、吐息をついた。隠せないと諦めたらしい。

「妙な噂がたつのは君の不注意だと叱られました」と末永はいった。

「それだけですか。我々が聞いたところでは、あなたと星子さんとの仲を認めないというような発言があったということですが」

手帳を見ながらいってから、佐山は上目遣いに末永を見た。末永は一瞬だけ目をそらしたが、すぐに見返してきた。

「妹の相手は自分が見つける、とおっしゃったんです。だから妙な噂は困る、と」

「つまり、あなたを星子さんの相手としては認めないということですな」

「そういうことでしょうね。でも」と末永は肩をすくめて頭を掻いた。「僕にしてみれば、ちょっと呆気《あっけ》にとられたというところですね。だって、さっきも申しあげたとおり、僕は星子さんにとってそれほどの存在ではないんですからね。まあしかし、室長のお気持ちは理解できます」

したがって自分が仁科直樹を恨んだり邪魔に思ったりするはずがない――末永はこういい

たいらしい。

「そうすると、今後はどうされるつもりですか？　星子さんとはあまりお会いにならないようにするわけですか」

「さあ、それは僕にはわかりません。今までも、僕の方からお嬢さんを誘ったりしたことはありませんからね。いつも一方的に呼びだされるだけです」

「なるほど、星子さん次第ということですね」

「そうです」と末永は軽く瞼を閉じながら顎を引いた。

佐山は手帳とボールペンを構え、メモを取る格好をした。そして意識して事務的な口調でいった。

「最後にひとつだけ。昨夜の行動を出来るだけくわしく教えていただけますか」

末永は少し間を置いたあと、ふっと吐息をついた。

「アリバイですね」

「そういうことです。昨日はいつも通り出勤されたわけですか？」

「いえ」と末永はいった。「昨日は出張でした。名古屋の方に」

「名古屋に出張？」

佐山は思わず矢野と顔を見合わせた。直樹は大阪に出張、そして末永は名古屋。

「朝からですか」

「もちろんそうです。名西《めいさい》工機という会社に行きました。ずっと向こうの社の方と一緒でしたよ」

「その会社にいらっしゃったのは何時頃までですか」

「じつは食事までご馳走になりましてね。夕食を終えたのが十時頃だったかな。それからホテルに帰りました。名古屋セントラルホテルです」

「というと、泊まりだったのですか」

「そうです。で、今朝早くからまた名西工機に行き、残りの仕事を終えて帰ってきました。報告のためにいったん会社に寄って、先程ここに帰ってきたところです。そういうわけで、正直なところ少々疲れているんですよ」

末永はわざとらしく肩を揉んでみせた。

「申し訳ありません。ところでその出張というのは急に決まったのですか」

「急というほどではありません。一週間ぐらい前から決まっていました」

「一週間前ねえ」

佐山が名西工機の連絡先を尋ねると、末永は名刺を一枚出してきた。向こうの技術課長のもので、その男とずっと一緒だったという。

「お借りします」といって佐山は名刺をしまった。

この夜、狛江署に設置された捜査本部で、捜査会議が行なわれた。黒板には仁科直樹の昨日からの行動が書かれている。

午前六時　自宅を出る
午前十一時から午後四時　国際学会に出席
午後六時　大阪グリーンホテルにチェックイン
「そして死体の見つかったのが今朝の七時だ。場所は自宅マンションの駐車場」

警視庁捜査一課の谷口警部が、こういって集まった捜査員たちを見回した。意見はあるか、という目だ。

「死亡推定時刻はどうなっていますか」と所轄《しょかつ》のベテラン刑事が訊いた。

「監察医の安藤助教授の話では、昨日の午後五時から八時の間ぐらいだということだ。詳しくは解剖の結果次第だが、おそらくそれほど変わることはないと思う」

「すると、犯行場所は大阪と考えて、まず間違いないでしょうね」と別の刑事がいった。

「たぶんな。六時には大阪にいたのだからな。荷物はホテルに置いたままだし、仁科の上着のポケットにはホテルの鍵が入っていた」

「ということは犯行現場は、案外ホテルの近くかもしれませんな」

「その可能性は強い。明日、何人か大阪に飛んでもらうことになる」

ここで佐山の隣りに座っていた矢野が、手を挙げて訊いた。

「ホテルをチェックインしたのは、たしかに仁科本人なのですか」

谷口は矢野ではなく、佐山の方を見て、

「大阪府警に写真を送って確認してもらった。フロント係が覚えていたらしい。仁科本人に間違いないといってるそうだ」

「よく覚えていたものですね」

佐山がいった。率直な感想だ。人の記憶ほど当てにならないものはない。

「その点は俺も気になったのでたしかめてみた。仁科はチェックインの時、できれば部屋を選ばせてほしいと要求したのだそうだ。空き室はいくつかあったので、どういう部屋が希望かとフロント係が訊くと、出来るだけエレベーターから遠い部屋がいいと答えたらしい。それでフロント係は希望通りにしたわけだが、そういうやりとりがあったので仁科のことははっきり覚えているのだという話だ」

「ふうん……仁科はいつもそんなふうに部屋を選ぶんですかね」

「さあな。しかしそういう客は時々いるという話を聞いたことはあるな」

とにかくこれで直樹本人がチェックインしたことは確実になったわけだ。

「ちょっといいですか」

谷口班の若手、新堂《しんどう》が小さく手を挙げた。「死体が東京で見つかったということは、犯人が運んだということでしょうか」

「それはそうだろう」

返事したのは谷口ではなく所轄のベテランだった。谷口は黙って頷いている。

「いったい何のためにそんな手間のかかることをしたんでしょうね。犯行現場を知られたくない程度のことなら、何も大阪から東京まで運ぶ必要はない。山奥か、大阪湾にでも捨てればすむことです」

「東京で殺されたように見せかけたかったんじゃないのかな」

誰かがいったが、

「いや、それはないと思いますよ」

新堂は言下に否定した。「仁科直樹が大阪にいたことは、多くの人間が証明するはずです。大変な労力と精神力を使うわりには効果がありません」

「つまりなぜ死体を東京に運んだのかがわかれば、事件の真相も見えてくるかもしれん、ということか……」

谷口は独り言のような口調で呟くと、「仁科の人間関係はどうだ?」と佐山たちの方を見た。

まず佐山が今日MM重工で聞きこんだ内容を説明した。仕事上で、特に対人関係が悪くなっているという情報は得られなかった。強いていえば、副室長の萩原が彼を排除しようと画策していたという噂がある。

「本来なら萩原が室長になるべきところを、他の職場からきた若僧に横取りされたわけですからね、面白くはなかったでしょう」

仁科直樹は入社以後、様々な職場を体験した後、異例の抜擢で現在の開発企画室室長におさまったのだ。

「しかし萩原はずっと会社にいたようですからね、犯行は不可能だと思います」

「それに動機としても、あまり強くないしな。もっとも、動機の強弱なんてのは第三者には判断できんものだが」

谷口は独り言を呟くようにいってから、「仁科星子の婿養子候補の話をしてくれ」と佐山に命じた。末永のことはすでに谷口に報告してあるのだ。

佐山が末永拓也について話すと、捜査員たち全員の顔に変化が現われた。

「次期社長の娘婿の座か。逆玉の輿《こし》というやつだな」

所轄の係長が最近の流行語を使った。

「その仁科星子だが、直樹とは母親が違うらしい」

谷口の言葉に、佐山も驚いた。初耳だった。

「ついさっき新堂刑事が調べてきたんだ」

そういって谷口は新堂に目線を送った。新堂が立ち上がった。

「仁科敏樹は、やはりＭＭ重工の社員だった光井芙美子《みついふみこ》と結婚して直樹という子供を作りましたが、間もなく離婚したのです。その時子供は芙美子が引き取りました。両者の間にどういう話し合いが成されたかについて、くわしいことは調査中です。芙美子と離婚して二年後、敏樹は二人目の妻として山本清美《やまもときよみ》を迎えました。この清美は一昨年病気でなくなりましたが、彼女との間に出来た子供が、すでに嫁いでいる宗方沙織と先程から話題の仁科星子です。しかし敏樹はやはり男の子が欲しかったのでしょうね。光井芙美子が交通事故で死んだと知ると、すぐに直樹を引き取るように手続きしたのです。直樹が十五歳の時でした」

「やはり仁科家の跡は、息子に継がせたかったというわけか」

ベテラン刑事がいう。それについて谷口が、

「息子に跡を継がせ、娘の婿にその補佐をさせる。それが仁科敏樹の構想らしい」

と言い添えた。「直樹が、妹の相手は自分が決めると発言したのも、そういう背景があるからだろう」

「星子の方はどうだったんでしょうね。今どきの娘が、そんな古い体質に納得するとは思えないな」

「同感だな」と谷口は頷いた。「そのあたりのところは、もう少し調べる必要がある。それから、末永と星子との関係もだ。末永によると、単なる遊び友達だというニュアンスで、婿候補という意識はないそうだが」

「本当かなあ」

底意地の悪そうな声を出したのは、先程「逆玉の輿」といった所轄の係長だった。

「もし末永にそういう野望があったなら、直樹の存在はかなり大きな障害ということになるわけだ」

そういってから係長は、「末永のアリバイはどうなんですか」と谷口に尋ねた。

「アリバイはあります」と佐山が答えた。「末永は昨日から今日にかけて名古屋に出張していたんです」

「名古屋か」と係長は低く唸って、「しかしたまたま末永も出張していたというのが引っ掛かるな」

谷口は会議机に両肘をつき、顔の前で掌を組みあわせた。

「名古屋にいたとしたら犯行は不可能かな」

「本人の供述によると、夜十時頃まで取引先の人間と一緒にいます」

佐山がいうと、

「十時か。じゃあ……無理か」

谷口はため息をついた。だがその顔は完全に納得した顔ではない。何か引っ掛かりを感じている表情だ。

それは佐山も同じなのだった。

5

翌朝、弓絵が出勤すると、数人の捜査員が職場に来ていて、直樹の机やキャビネットの中をひっかきまわしていた。そろそろ自分のところにも警察が来るのだろうと弓絵自身予想はしていたが、突然こんなことになるとは考えてもみなかった。

弓絵は仕方なく隣りの部屋で自分の仕事をしていたが、彼らの捜索が終わる頃になって部屋に呼ばれた。打ち合わせ用の机を挟んで、二人の刑事と向き合う。他の捜査員たちの姿はなかった。

佐山という刑事の質問は、仁科直樹の最近の行動についてのことだった。仕事以外の電話がかかってきたことはないか、直樹のようすに何か変わったところはなかったかなど。弓絵には

何も心当たりがないので、そう答えた。刑事は少しがっかりしたようすを見せたあと、

「出張の手続きをされたのはあなたただそうですね」

と訊いてきた。弓絵は黙って頷いた。

「何かいつもとは違ったところなどはなかったですか。特別な指示があったとか」

「いえ、そういうものは……」

そう答えてから彼女は漏らした。「でも……」

「何かあったんですか？」

佐山刑事がいうと同時に、

「正直に答えてください」

と隣りの若い方の刑事が声をあげたので、弓絵は思わず身体を引いた。この矢野という刑事は最初から血走った目をしていて嫌だった。まるで飢えた野良犬のようだ。

君は黙ってろ、というように佐山は矢野の方に目くばせした。それから彼女に目を戻すと、

「何ですか」

と柔らかい口調で訊いた。

少し迷ったが、弓絵は直樹のホテルを予約した時のことを刑事に話した。学会の会場近くの方がいいのではないかと彼女は思ったが、直樹が新大阪の近くを希望したという内容だ。佐山という刑事は明らかに興味を示したようすだった。

「新大阪の近くのホテル、という希望だったのですね。特にホテル名を指定されたわけではな

く」

「そうです」と弓絵は答えた。

佐山は少し考えごとをするような顔をしたあと、

「ほかに何か気づいたことはありませんか」

と続けて訊いてきた。

「気になったというほどのことはないんですけれど……」

弓絵は前置きしてから、「ずいぶん長い間時刻表を眺めておられたことを思いだしたんです。新幹線の頁だったようですけど」

「それは出張の朝に乗る新幹線の時刻を見ていただけじゃないんですか」

矢野刑事がいった。耳ざわりなほど大きな声だ。

「そうかもしれません。でも何時の新幹線があるのかは、あたしが調べてお教えしてあったんです。だから改めてお調べになる必要はないと思ったんですけど」

「仁科さんが見ていたのは、たしかに新幹線の頁でしたか」

佐山の問いに弓絵は頷いた。

「たしかです。その時刻表は新幹線のところだけ色が違っているからよくわかるんです」

「なるほどね」

佐山は何度も首を縦に振りながら、手帳に何か書きこんでいた。自分の記憶が少しでも役に立ちそうなので、弓絵も悪い気はしなかった。

「ところで」と佐山は手帳を閉じながら彼女の顔を見た。「先程副室長さんから伺ったのですが、あなたは去年の秋に他の職場から移ってこられたそうですね」

「はい……」

関係のないことまでしゃべる男だと、萩原の顔を思い浮かべた。

「聞くところによると異例の配置転換だということですが、そのことについて仁科さんから何かお聞きになっていませんか」

「いえ何も。あの、そのことが今度のことと関係があるんでしょうか」

弓絵が訊き返すと、

「いや、そういうわけではないんですよ。仁科さんの対人関係を整理しておきたかったものですから」

佐山は弁解するようにいってから腰を上げた。

刑事から解放されると、弓絵は部屋を出て湯沸かし室に向かった。が、途中の廊下で後ろから声をかけられた。振り返ると、酒井《さかい》悟郎《ごろう》が作業服姿で近づいてくるところだった。「元気？」と彼は訊いてきた。

「うん、まあまあ」

「屋上へ行こうか」

悟郎が親指で上を差したので、弓絵はこくりと頷いた。彼女たちの職場は建物の最上階にあるのだ。

いつもなら屋上にはビーチボール・バレーなどをしている連中がいるのだが、直樹の事件の影響か、今日は誰もいなかった。弓絵は悟郎の後について、フェンスのところまで行った。

「仁科さんの件、大変みたいだね」と悟郎がいった。

「うん」と弓絵は頷いた。「今もそのことでね、刑事さんと会ってたのよ」

「刑事と？　ふうん……君まで調べられるのか」

「調べられるってことじゃなくて、ちょっと話を聞きたいからって。あたし、室長さんの出張の手続きとかしたから」

「ああ、そうか」

悟郎は頷いてから、「とにかく今はいろいろと大変なわけだね」といった。

「まあそうね」

「じゃあこんな時に、あまり頭を悩ませるようなことはいわない方がいいのかな」

悟郎が何のことをいっているのか、弓絵にはよくわかっていた。わかっていて、黙っている。

「例の話だけど」

悟郎はフェンスの金網に両手をかけて、両腕の間から下を覗きこみながらいった。「しばらく返事は待つよ。今は職場の方が落ち着かなくて、ゆっくりと考える時間もないと思うから」

「うん」と弓絵は頷いた。「あたし今、ちょっと疲れ気味だしね」

「いろいろあったから気疲れだろうね。無理しない方がいいよ」

「ありがと」といって弓絵は微笑んだ。

「犯人、早く捕まるといいな」

「うん。きっとすぐに捕まると思う。日本の警察って優秀なんでしょ」

佐山の顔を思いだしながらいう。「らしいね」と悟郎もいった。

弓絵が悟郎にプロポーズされたのは、二週間ほど前だった。日曜日にデートに誘われ、帰りに独身寮まで送っていってもらう途中、突然彼が立ち止まって切りだしたのだ。俺と結婚してくれないか、と。

意外という気はしなかった。むしろ、とうとう彼も決意したのか、という思いだった。彼の気持ちには気づいていたからだ。そして、彼がずっと弓絵に告白することを我慢していたことも。

「少し、時間をくれない?」

プロポーズの言葉に対し、彼女はうつむいて答えたのだった。「考えさせてほしいの。いろいろと気持ちの整理をしたいこともあるし」

「うん、わかってる。それはよくわかっているんだ。じっくり考えてくれればいいよ。でも……」と彼はここで言葉を切り、「でもいい返事を期待している」

弓絵はやはり下をむいたままだった。

その後も結論を出さないまま、今日まできたのだ。

酒井悟郎は弓絵と同じく、群馬《ぐんま》県の出身だ。家も近く、小学校から高校までずっと同じだった。幼なじみという言葉がぴったり当てはまるのかもしれない。子供の頃、一緒に遊んだ記憶もある。

高校卒業後、二人の進路は一旦分かれた。悟郎は東京の会社、つまりＭＭ重工に就職したが、弓絵は地元の短大に進学したのだ。弓絵ちゃん、女子大生なんだな——卒業式の後で、彼がそういって寂しそうに笑ったのを覚えている。悟郎の家は父親が亡くなったばかりで、彼を大学にやる余裕がなかったらしい。

「女子大生なんて、そんな特別なものじゃないわよ。悟郎ちゃんこそ、いい会社にはいれてよかったじゃない。ＭＭ重工なんて、一流よ」

「だけど高卒だもんな、先が知れてるよ」

「そんなことないわよ。ねえ悟郎ちゃん、東京に行っても時々遊びに帰ってきてね」

「うん、帰ってくる。それほど遠くないものな」

悟郎は笑顔を見せた。

その言葉通り、彼は就職後も頻繁《ひんぱん》に帰ってきた。大抵は一人だったが、そのうちに会社の同僚を二、三人連れて帰ることも多くなった。悟郎は同期入社の仲間の中では、兄貴分的な存在らしかった。

やがて弓絵が就職する時期になった。彼女は悟郎と同じく、東京のＭＭ重工を選んだ。そのことを聞いた時の悟郎の喜びぶりは只事ではなかった。

それから約二年——。

悟郎としてはずいぶん待ったに違いない。プロポーズするのにも、それ相当の決意が必要だったはすだ。

弓絵は悟郎のことを嫌いではない。好意を持っているといえるだろう。出身地が同じだということもあって、話も合う。一緒にいて安心できる相手ではある。

だが結婚相手となると彼女は困ってしまう。何が不足しているわけでもないのだが、彼だけはそういう対象として見られないのだ。無論それは、彼が高校しか出ていないから、などというナンセンスな理由からではない。

もう少し考えさせてほしい——これは単に返事を引き延ばしているわけではない。彼女にしても、本当にもう少し考えれば決心がつくかもしれないと思っているのだ。

昼休み終了のチャイムが鳴った。結局二人とも、フェンス越しに建物の下を眺めていただけだった。

「明日の午後、空いてないかな」

階段を降りる前に悟郎がいった。「アマ・バンドのコンサートがあるんだよ。大したことのないバンドだけど、職場の仲間がベースやってるものだから義理でチケット買わされちゃってさ」

明日は金曜日だ。コンサートは嫌いではないが、弓絵は首をふった。

「ごめんなさい、明日はだめだわ。お葬式に出なきゃならないし、いろいろとお手伝いすることも多いと思うから」

「お葬式？　ああ、そうか」

仁科直樹のことを悟郎はいっとき忘れていたようだった。通夜は今日、仁科邸で行なわれるという話だ。

「晴れるといいな。雨の日の葬式ってつらいから」

そういって彼は弓絵の肩に手を置いた。

6

肩に手を置かれて振り返った。形の良い唇がまず目に飛び込んでくる。中国美人を連想させる少し吊り上がった目が、拓也の顔を見つめていた。黒い喪服を着ていると、墨絵から抜けだしてきたようだ。

ついてこいというように星子は目くばせした。そしてさっさと部屋を出ていく。拓也も座布団から腰を上げた。

星子の後を追って他の部屋に入ると、そこは応接間だった。テーブルを囲むように茶色の皮張りのソファが並んでいて、彼女はそのひとつに身体を沈めた。そして、どうぞ、というように向かい側を顎で示した。拓也は指示どおりに座った。

彼女は、ふうーっと長いため息を吐くと、

「不必要なほど人が多いわね」

うんざりだという顔を作った。「あんな人間の通夜に、どうしてこんなに集まるのかしら」

「当然じゃないんですか。何しろ仁科家のご長男が亡くなったんですから」

　すると星子はじろりと彼を見た。

「ということは、あたしが死んだ時にはこれほど集まらないということ？　あたしは女だし、しかも次女だから」

「そういう意味じゃないですよ。仁科家の冠婚葬祭なら、人が大勢集まるのは当然だといいたかったんです」

「ふうん、仁科家ね」

　星子は脚を組むと、やや陰険そうな笑みを拓也に向けた。「あなた、あの人が仁科家の人間じゃないってこと知らないの」

「あの人？」

「仁科直樹よ。あの人、あたしや沙織姉さんとは母親が違うの。離婚した前の奥さんとの間に出来た子供なのよ」

「へえ」

　初耳だった。康子からもそんな話は聞いていない。「異母兄妹というわけですか。でもそれなら血がつながっていないこともないですね」

「血なんて関係ないわ」

　星子は、低く鋭い声でいった。「あの母子はね、父の世話にはならないといって出ていったの。そうして十五年、何の音沙汰もなしよ。だけど母親が死んだらしいとかいって、父があの人を引き取ることにしたの。あたしたちのお母さんが女の子ばっかり産むものだから、前の妻に産ませた男の子のことが急に懐かしくなったみたいね。あの人がうちに来た時、すでに高校生だったわ。青白い顔をして、そのくせニキビを額いっぱいにこしらえてた。そんなふうにして突然家の中に入ってきた人間に対して、兄さんと呼べっていわれたのよ。あたしは呼んだわよ、直樹兄さんって。しかたなかったもの。でもそう呼ぶ時のあたしの気持ち、あなた理解できる？　あたしは今も、あの人が仁科家の一員だなんて思ってないの。血なんて関係ないのよ」

何と答えていいのかわからないので、拓也は黙っていた。

「あなた今日、父に会った？」

「ええ、先程」

屋敷を訪れてすぐ、挨拶に行ったのだ。仁科敏樹はさすがに疲れ果てたようすだった。拓也が悔やみの言葉を述べても、あまり耳に入っていない感じだ。だがそれでも、彼が自分のところに刑事が来たことを話すと、いつもの鋭い眼光に戻った。そして刑事とのやりとりについて、かなり熱心に質問してきたのだった。

「父はあの人の死を悲しんでいるわ。それは無理のないことかもしれないけれど、父が思うほど、彼の方は父のことを思っていなかったのよ。むしろ――」

星子は上唇を濡らすように舌を覗かせると、「恨んでいた、といった方がいいかもしれないわね。この家に連れてこられてから今度の事件で死ぬまで、ずっとそうだったわ。父を、というよりも、仁科家を恨んでいたというべきかな」

「自分たちは捨てられたという意識があるわけですかね」

「たぶんそうでしょ。でもそんなに嫌なら、この家を出ていけばいいのよ。それをしなかったのは、仁科家の財産が目当てだったから。あたしにはわかっていたわ。あの人はね、この家を全部手に入れたら、自分の代で財産を全て使いきるつもりだったのよ。それが彼の復讐だったわけ」

「あまりいい想像じゃないですね」

「単なる想像じゃないわ。何も知らないくせに生意気なことをいわないで」

生意気な娘に生意気といわれたら世話はないと、拓也はいささか白けた気分になって口を閉ざした。だがそのようすが彼女には忠実な態度に見えたのか、

「あなたは家族がいないんですってね」

と少し口調を和らげて訊いた。

「母親は僕を産んで間もなく、父親は僕が大学生だった時に死にました」

「そう。あたしね、そんな人を見ると心底うらやましくなるのよ。縛られるものがなくていいなあと思って。あなたには贅沢に見えるかしら」

「まあそうですね」

答えながら、そんなことはないと思っていた。家族なんて欲しいと感じたことがない。うらやましがられて当然だと思った。

「苦学して一人で生きてきた、か。父の好みのタイプではあるわけね」

一瞬、誰のことをいっているのか拓也はわからなかった。自分のことか、と数秒たってから理解した。苦学なんて言葉を思い浮かべたことさえない。

「ところで今日、あたしのところに刑事が来たわ。新堂という刑事よ。ご存じ?」

いいえ、と拓也は答えた。

「嫌な感じの男よ。人の眼をじっと覗きこんだりして。その刑事から、あなたとのことを訊かれたわ。まるで芸能レポーターみたいにね」

星子は悪戯っぽい顔を作り、脚を組みなおした。黒いスカートの裾が揺れる。

「だからあたしも芸能人みたいに答えてあげたの。末永さんは素敵な友達ですって。すると刑事はいったわ。結婚相手としては、お兄さんは認めておられなかったようですねって。あたし、思わず怒鳴っちゃった。あたしの結婚に兄は関係ありませんって。刑事はちょっと驚いた顔をしてたわ」

「そうでしょうね」

「とにかくこれで」と彼女はソファにゆったりともたれかかった。「あたしの人生が変なふうに左右されることもなくなったわけよ。パパも、あたしの結婚についてはあたしのためだけを考えてくれるはずだわ」

だから、と星子は拓也を見て続けた。「あなたにももちろん権利はあるのよ。反対する人はいなくなったわけだから」

拓也は黙って頷いた。そして康子の処置と、星子が仁科敏樹のことを初めてパパと呼んだことについて考えを巡らせた。

　翌日の葬儀には、通夜を上回る人間が集まった。金曜日だから会社は休みではない。しかしこれだけトップが参列していたら、実質的な機能はストップしているのではないかと思えるほどだった。

　拓也も焼香する人の列に加わったが、すぐ前に並んでいる女性を見て、おやと思った。直樹の部屋で働いていた女子社員だった。何度か顔を合わせたこともある。たしか中森弓絵といったはずだ。

　彼が声をかけると、彼女もすぐに気がついたようだ。あわてて頭を下げてきた。

「君も大変だっただろうね」

　拓也がいうと、「ええ、少し」と神妙な顔で答えた。まだあどけなさの残る顔だちだ。化粧も上手とはいいがたい。今どきの洗練された女性と比べると、少し垢抜《あかぬ》けしないところがある。

　この娘は仁科直樹のことをどの程度知っていたのだろう――拓也はふと思った。始終そばにいたのだから、人間関係についてはくわしいかもしれない。直樹を殺すような人間にも心当たりがあるのだろうか。

「君のところに警察の人間は来なかったかい？」

　水を向けてみると、

「昨日の午前中、呼ばれました」

という答えが返ってきた。

「どんなことを訊かれたの？」

「いろいろです。出張のことだとか」

「出張のことって？」

弓絵は前後の人間の耳を気にするように、小さく細い声で話してくれた。直樹が新大阪駅の近くのホテルを希望したことや、新幹線の時刻表を熱心に見ていたことなどだ。

「ふうん。そういうことに刑事は興味を示していたかい？」

「はい。そんなようすでした」

「そう」

あまりよくないな、と拓也は思った。直樹がホテルの場所を指定したり、新幹線の時刻表を見ていたのは、おそらくアリバイ工作のための準備だろう。そのことを刑事に見抜かれないともかぎらない。

「ほかに何か……たとえば犯人の心当たりとか、そういうことは訊かれなかったの？」

「訊かれました」

「君は心当たりがあるのかい」

するとと弓絵は首と一緒に右手もふった。

「そんな心当たりなんて、全然ありません。室長さんは優しくて、絶対に人に恨まれるような方じゃなかったんですから」

口先だけではなく、心底そう信じているといった口調だった。あの直樹にこういう印象を抱いている人間がいるということは、拓也にとってちょっとした驚きだった。

焼香を済ませると、中森弓絵と別れ、拓也は橋本を探した。彼も来ているはずだった。だがその前に彼が見つけたのは、同じように焼香を終えて出てきた雨宮康子だった。上背のある康子は、喪服を着ていてもよく目立つ。彼女の方も拓也に気づいたらしく、一旦立ち止まってから近づいてきた。

「しばらくね」

と彼女は声をかけてきた。少し見ない間に顔だちが変わったようだ。異国風で彫りが深かったのが、ややふっくらと丸みを帯びたように見える。これも妊娠のせいなのかと拓也は思った。

「君が来ているとは意外だったな。企画室長とは面識があったのかい？」

直樹とのことを知っていて訊いてみる。康子は顔色ひとつ変えず、

「会ったことはあるけど、話したことはないわ」

と、うそぶいた。「専務への義理よ。あなただって星子さんの手前、わざわざやって来たんでしょう」

「まあ、そんなところだがね」

拓也は小指で鼻の横を掻いてから、「元気そうだね」と彼女の顔を見た。

「元気よ、とても」

そういうと康子は、自分の下腹部を掌で軽く叩いた。母子共に、という意味らしい。

「それを聞いて安心した。何よりだよ」

口先だけでいってみる。

「ありがとう」といってから彼女は、上目遣いをして唇の片端を上げた。「あなたも星子さんとはうまくいってるらしいわね。噂は聞いてるわ」

「それはどうも。ところでどうだい、お茶でも飲まないか」

作り笑いをして誘ってみた。康子はいかにも残念そうな顔をして、

「せっかくだけど、すぐに会社に戻らなきゃならないの。また今度ね」

「それは残念だな。ゆっくり話したいこともあったんだが」

「本当に残念ね。じゃ、これで」

彼女は立ち去ろうとしたが、その横顔に向かって、

「今週の火曜日、どこに行ってたんだ？」

拓也は抑揚のない声で訊いてみた。康子は足を止め、彼の方を見た。火曜日というのは直樹が殺された日だ。

「有給休暇をとってたそうじゃないか。どこか旅行でもしたのかい」

彼女が奥歯を嚙《か》むのがわかった。明らかに動揺している。

「よく知ってるのね」と彼女はいった。「どうしてそんなことを訊くの？」

「理由なんてないよ。訊いちゃまずかったのかな」

「別にまずくなんかないわ。休んだのは、有給休暇が溜《たま》っていたからよ。おかげで一日のんび

りできたわ」

「それはよかった。身体は大切にしなきゃな」

「ええ、もちろん」

康子は大きく頷いた。「もちろん身体は大切にするわ。何よりも大事なものだから」

そして彼女は歩きかけたが、二、三歩ほどでまた止まった。

「あたし、近々会社を辞めることになると思うわ。あまり目立ってきたら、あなただって困るでしょうから」

そういって下腹部を撫《な》でると、にやりと笑い、そのまま一度も振り返らずに立ち去っていった。

彼女の後ろ姿を見送っていると、そばに誰かが寄ってきた。橋本だった。彼もまた康子が消えた方向に目をやっている。

「どうでした」と彼は小声で訊いてきた。拓也たちのやりとりを、どこかで見ていたらしい。

「わからないな」と拓也は答えた。「その可能性は薄いんじゃないかという気がしたがね。もしあの女が犯人なら、俺やおまえが室長と共謀していたことを知っているはずだ。しかし今話したかぎりでは、そういう感じはなかった」

「とぼけているだけじゃないですか。したたかな女ですからね」

「それはまあそうだな。ところで」

拓也は素早く回りに視線を配ると、誰も自分たちに目を向けていないことを確認してから低い声でいった。「康子が犯人かどうかはわからんが、始末しなければならないことに変わりはない。おまえ、その覚悟はできてるんだろうな」

すると橋本は虚《きょ》をつかれたように、せわしなく瞬《まばた》きした。そしてにわかにおどおどした態度を見せ始めた。

「どうなんだ？」と拓也は訊いた。

橋本は手の甲で唇をぬぐうようなしぐさをすると、

「何か別の解決策……はありませんか」

といって、拓也の表情を窺《うかが》うような目をした。

「別の解決策？　何だ、それは」

「だから……殺すとかいう手段じゃなくて」

「どうするんだ？」

「いや、それはまだ考えていませんが」

拓也は右手を伸ばすと、橋本の黒いネクタイを摑んだ。そして手前に引っ張る。橋本の目に脅えの色が走った。

「ふざけるなよ」と彼は声を抑えていった。「時間は全然ないんだ。何が、まだ考えていません、だ。今さら戻れないってことを忘れるなよ。それに康子が室長殺しの犯人じゃないとしても、何かを知っている危険性はあるんだ」

「わかったか」と拓也が橋本を睨《にら》みつけた時、ＭＭ重工の重役の一人がすぐそばを通りかかった。彼は急いでネクタイを離し、二人で世間話でもしていたふうを装った。その重役の方も拓也たちに気づいたらしいので、頭を下げて挨拶した。すると重役は声をひそめて話しかけてくる。仁科専務も後継ぎがいなくなって大変だなあ、せっかく今まで準備してきたのにな——言葉の裏に底意地の悪さが見え隠れしている。適当に相槌《あいづち》を打ちながら、この俺が仁科家の後を継ぐから心配はいらないと、拓也は心の中で呟いていた。そうなったらおまえはクビだ、とも。人の仕事にケチをつけること以外は何もできない無能重役なのだ。同年代のライバルがいなかったというだけで、今の地位に上がったにすぎない。

いいたいことをいい尽くすと、無能重役は拓也たちの前から去っていった。その背中を見送りながら、

「あんな能なしを、いつまでものさばらせておく手はないぜ」

と拓也は橋本の耳元でいった。「ピラミッドの上には、実力のある者が座るべきなんだ。俺とかおまえとかさ。それを邪魔するような存在は、害虫と同じさ。そんなのは駆除《くじょ》するしかない。わかるだろ?」

橋本は相変わらず瞬きを繰り返しながら、小さく頷いた。

「やるな?」

少し間を置いてから首を折る。痙攣《けいれん》したような動きだ。

「よし。じゃ、この件についてはまた連絡するから」

拓也は橋本の肩を叩くと、彼を残して歩きだした。だが途中でふと気になって振り返ってみ

た。

橋本は青白い顔に、気弱さを露呈させて立っていた。今にも崩れそうな不安を抱かせる。目が合うと、脅えたように顔を伏せた。

拓也は再び前を向き、足を動かした。彼の頭の中に、さらにまた暗い思考が広がり始めていた。

康子のあとは橋本の処置だ。いずれ何とかしなければ——。

7

仁科直樹の葬儀の翌日、橋本は昼過ぎまで布団の中にいた。昨夜はどうにも眠れず、結局三時頃まで深夜番組を見ていたのだった。しかし古い西部劇だったということを覚えているだけで、どういう筋だったかは全く記憶に残っていない。頭の中は事件のことでいっぱいだった。

いったいどうすればいいのか？

正直なところ橋本は、仁科直樹や末永拓也の話に乗ってしまったことを後悔していた。なぜ自分はあんな誘いに乗ったのだろう。殺したりするよりももっといい方法、たとえば三人で金を出しあって、康子を説得するというような道もあったのではないか。

だが今となっては遅い。下手なことをすると、自分たちが殺人事件に関係していることを警察に嗅《か》ぎつけられるかもしれないのだ。

康子を殺すしかないのか。

橋本は末永拓也の言葉を思いだしていた。害虫は駆除するしかない——。

たしかに橋本は康子に対して何の愛情も感じていない。彼女と関係を持ったのは、単に肉体的な欲求があったからにすぎなかった。何よりも、誘ってきたのは彼女の方だった。いかにも男性経験が豊富そうで、派手な感じのする康子は、もともと橋本の好みのタイプではなかった。それでも関係を続けてきたのは、便利な女だと思ったからだ。遊びに徹してくれるなら、これほど都合のいい相手はない。

結婚のことなど、これっぽちも考えたことがなかった。あの女が危険な女だということは、感覚的にわかっていたからだ。厄介なことになる前に、さらりと別れるのが一番だった。それでも別れられなかったところに、そもそもの原因がある。

妊娠のことは考えなかったわけではない。もしそうなったら、それなりの金を渡せばいいと思っていた。もちろんそんなことにならないよう注意はしたが、徹底的にやったかと訊かれれば自信がない。康子は橋本がコンドームを使うのを嫌がった。極力使わないよう望んだのだ。

人殺しはしたくないと思った。仁科直樹の死体を運んだ時の感触が、今も両方の手に残っている。死人の顔。血の気のひいた肌。あんなことはもう二度とごめんだった。

何かいい手はないか。

唸《うな》りながら寝返りをうった時、玄関のチャイムの音がした。パジャマのまま出ていく。ドアの外に立っていたのは郵便配達員だった。小包ですよ、と掌に乗る程度の箱を渡された。

小包を受け取ったあと、橋本はついでに郵便受けの中身も取り出し、それらを持ってダイニング・ルームに入った。何となく頭がぼうっとする。やはり寝不足なのだ。

郵便物の殆どは、即ゴミ箱行きだ。よくこれだけくだらない広告を送ってくるものだと思う。だがヘッド・ハンティングの案内状やダイレクトメールに混じって、従弟《いとこ》からの結婚挨拶状が入っていた。橋本よりも三つ年下の従弟だった。挨拶状には、ハワイに新婚旅行した時の写真が印刷されている。小柄でかわいい新妻だった。

おまえもそろそろ身を固めたらどうだ——千葉の実家に帰るたびに、父からいわれることだった。父は長年勤めていた商社を一昨年定年退職し、現在は母と妹と三人で暮らしている。妹も年ごろなのだが、娘を出すのはつらいのか、今のところ父母は橋本にばかり結婚を勧める。息子がこんな目にあっているとは、夢にも思わないだろうな——橋本は家族の顔を思い浮かべた。

ごく一般的な家庭なのだ。駅から徒歩十分のところにある5LDK、緑の芝生に薄茶色の犬が一匹。両親は昔から子供に夢を託し続けてきた。環境と進学率を重視して学校を選び、その学校に入れるように家庭教師を雇った。食卓で出る話題のテーマは『将来』。家族皆が目を輝かせたものだ。そして現在、娘は父と同じ商社に勤めていて、息子は一流の重工機メーカーにいるというわけだ。橋本のMM重工への入社が決まった時、父は珍しく残業をせずに帰ってきた。祝杯を上げるためだ、と彼はいった。

橋本は深く長いため息をついた。

家族を不幸にしてはならないと思った。もし仮に自分が殺人犯として警察に捕まるようなことになれば、父母や妹までもが、もはや普通の生活をすることはできなくなるだろう。そんなことは避けなければならない。

やむをえない――。

手段はないわけではないのだ。今まで目をそらしていただけで。

橋本は、康子との結婚を決意した。それ以外に道はなかった。様々なものを失わないようにするには、自分の結婚ぐらいは犠牲にしなければならないと思った。

無論問題はいくつかある。たとえば康子の子供の父親がわからないかぎり、彼女は結婚を承諾しないかもしれない。しかし橋本は出来るだけ早く結婚を済ませるしかないと思った。そして本当の父親が誰であろうとも、自分の子供として育てるのだ。誰にも秘密にして。

「それしかないじゃないか」

彼は自分の決意を声に出してみた。そうすることによって覚悟が固まるような気がした。そして、家族のことを思いだしてよかったと思った。

問題は末永拓也だった。あの男をどう説得するか。彼は康子を殺すことを決めているようだった。

「彼はいいよな。失うものが何もない」

呟きながら橋本は、小包に手を伸ばした。差出人は、仁科敏樹となっている。茶色の包みを開くと、有名デパートの包装紙が出てきた。粗品、と書いた紙が貼られている。

葬式の参列者に送っているのかな、と橋本は考えた。昨日の葬式では、帰りに白いハンカチを貰ってきたのだが。

デパートの包装をとくと、中からは万年筆とインク瓶が出てきた。国産ではあるが、高級品の部類に入るだろう。黒に金の飾りが施されている。手に持つと、太くて、ずっしりとした量感がある。

会社関係の人間に、香典返しとして送っているのかもしれないな――橋本はそう判断した。

ダイレクトメールの封筒に試し書きしようとしたが、インクが入っていないらしく書けなかった。中を開けてみると、スペアインクを挿入するタイプではなく、インク瓶から吸い上げるためのコンバーターが装着されていた。それでインク瓶も一緒に付けてあるのだなと思った。青色のインクだった。

この万年筆で、末永に手紙を書こうか――パジャマのまま机の前に座ると、橋本はインク瓶の蓋を外した。末永の顔を見ると、康子と結婚するつもりだということを、はっきりいえないような気がした。あの男には人の心を圧迫するような雰囲気がある。人間臭い欲望の塊《かたま》りのくせに、人間らしさが少しも感じられないのだ。

しかし手紙はまずいかな、何かの拍子で警察の手に渡ったら一大事だし――。

様々な思いを抱きながら、橋本は新品の万年筆に青インクを入れ始めた。

「末永さーん、小包です」

拓也のところにその小さな箱が届いたのは、土曜日の昼過ぎだった。トーストを食べながら新聞を読んでいた時だ。

専務から、いったい何だろうな——包みをほどくと、万年筆とインク瓶が出てきた。粗品、と書いてはあるが、それほど安い品物ではないだろう。

「どういうつもりだ、いったい」

万年筆にインクは入っていなかった。拓也はキャップを外してペン先を数秒ほど眺めたあと、またすぐにケースに戻した。そしてそのまま机の引出しにほうりこんだ。インクが乾くまで待たなければならないという点で、万年筆は好きではなかった。手紙を書く時も大抵は水性ボールペンだ。

それ以外ではサインペンを使う。

昨夜、何枚かの紙にいろいろと書きなぐっては破り捨てていったが、その時に用いたのもサインペンだった。

書きなぐった内容というのは、康子殺害計画についてだ。

しかしまだ考えはまとまっていない。人ひとりを殺すというのは、ロボットを一台作るよりも難しい仕事のようだった。

第三章　殺しのターゲット

1

十一月十六日、月曜日。

用があって拓也が資材部にいる友人に電話した時、用事が済んだ後で、その友人から興味深い話を聞いた。仁科直樹殺しの捜査についてのことである。その友人は十日に有給休暇をとったらしいのだが、そのことで警察に追及されたというのだ。どこに出かけていたか、外出は何時から何時までで自宅に帰ったのはいつか。要するにアリバイを調べられたわけだ。

「だけどさ、はっきりいって俺は、仁科企画室長とは会ったこともないんだぜ。それをいったらさ、とにかくあの日に会社を休んだ人間全員に当たっているんだって言い訳するみたいに刑事はいってたな」

友人は警察を小馬鹿にするようにいった。

「ふうん、総当たり作戦というわけか。で、実際あの日休んでいた人間はどのくらいいるんだろうな」

「さあな。全社的には数百人ってところじゃないのか。千人はいないと思うがね。本社だけだと二百人ぐらいかな」

それぐらいだと、総当たりといっても警察にとってはそれほど困難な作業ではないのかもしれないと拓也は思った。もっとも、犯人がこの会社の従業員だとは限らないのだが。

電話を切ると、報告書を書くふりをしながら考えを巡らせた。警察がそういう手段に出たということは、康子も調べられたはずだ。彼女もあの日休暇をとっている。彼女はいったい刑事に何と答えたのか。

下手な受け答えをしていなければいいんだが——。

康子が刑事の前でうろたえる姿を想像すると、拓也は全身がムズムズし、じっとしているのがつらくなった。彼女が今警察に目をつけられるのは、いろいろな意味で都合が悪いのだ。彼女が注目を受けるのは、彼女自身の死体が見つかってから、というのが拓也の計画だった。

ところで奴はどうしたんだ、と拓也は隣りの研究開発一課に顔を向けた。始業開始から三十分以上たっているのに、橋本の姿が見えなかった。机の上は片付いたままだし、行き先表示板は空白になっている。

こんな時に休みか、と少し腹だたしい気分になった。今はあまり目立ったことをしてほしくないのだ。病気とあれば、仕方がないが。

そのうちに一課の課長が、橋本の席に近づいた。そして、ここはどうしたんだ、と机を指先で叩きながら隣りの係長に訊いた。頼りないことで有名な係長は、首筋のあたりを押えながら頭を捻《ひね》っている。電話してみろ、と一課の課長は命じた。

拓也は席を立つと、資料を探すふりをしながら彼らのそばに近づいていった。資料や実験データのファイルなどは壁一面の棚に収められているので、拓也が一課の方にいても不審がられることはない。

橋本のところの係長が電話をかけている。相手が出ないようすで、受話器を持ったままじっとしている。しばらくそうしたあと、諦めたように受話器を置いた。

「出ないか」と課長。「出ません」と係長。「何やってるんだ、あいつ――」吐き捨てて課長は自分の席に戻った。

何やってるんだ、あいつ、と拓也も思った。

何かあったのか？

拓也の脳裏に真っ先に浮かんだのは、橋本が逃げたのではないかということだった。殺人を犯す度胸もないし、打開策もない。悩んだ末に行方をくらましたのではないか。しかしまさかそんな軽率なことをするはずはないと思う。

いや待てよ、と拓也は別の可能性に思い当たった。小心な男は、逃げたりするよりももっと直接的な方法に出るのではないか。

つまり自殺だ。悩んだ末の自殺。

もしそうなら願ったりだ、と拓也は思った。今となってはあの男は足手まといなだけなのだ。ただし、と拓也は心の中で呟く。死んでくれるのはありがたいが、下手な遺書を残したりはしないでくれよ――。

午後になっても橋本は来ない。

拓也は実験棟にいた。本社内にある、実験だけを目的に建てられた建物だ。拓也たちが使用するのは三階である。ロボットの試作機や、実験機器などが所狭しと並んでいる。

拓也は、インスタント・コーヒーの入った紙コップを片手に、目の前にある金属の塊りを見上げた。

長い腕はミクロンの精度で動き、その指は小鳥を優しく掴むことも、レンガを握りつぶすこともできる。ファジー理論を導入したことで、硬さの違ういくつかの豆腐を、全く崩さずに掴んで運ぶことも可能になった。そしてその目は、三次元的に物の形を判別することができる。

完璧だ、と拓也は頷いてコーヒーを口に含んだ。このロボット『ブルータス』は、拓也が入社以来作り続けてきたロボットの中でも、最高の作品だった。

もちろん『ブルータス』は万能ではない。しかし限定された条件の下では人間を凌《しの》ぐ。文句ばかりいう現場作業者よりも、はるかに高精度な仕事を迅速に行なうのだ。

これが生産現場に登場する日のことを想像すると、拓也は楽しくて仕方がなくなる。みんな肝を潰《つぶ》すに違いないのだ。

所詮《しょせん》ロボットは人間にはかなわないさ――こんなふうにいわれるのが拓也は何よりも嫌だった。そんなふうにいう人間に限って、何の取柄《とりえ》もないから余計に不愉快になる。人間に一体何ができるというのだ。何もできやしない。嘘をつき、怠け、脅え、そして妬《ねた》むだけだ。何かを成し遂げようとしている人間が、この世に何人いるというのだ。大抵の人間は、誰かの指示に従って生きているだけだ。指示がないと、不安で何もできないときている。プログラム通りにやるだけなら、ロボットの方が優秀であるに違いない。

それにおまえたちは裏切らないものな――並んでいるロボットに向かって、拓也は心の中で呼びかけた。

これが彼がロボットに取り組みだした最大の理由だった。自分を含め、人間は必ず裏切る。そんなものに期待するから失望もある。

ロボットは裏切らない。

期待を上回ることはないが、プログラムに対してはいつも忠実だ。ロボットが間違った動きをした時は、原因は必ずプログラムを行なった人間の側にあるのだ。

拓也は『ブルータス』に近づくと、その金属のボディに触れた。彼がこの世で唯一心を許せる相手だった。こうしていると時間のたつのを忘れる。拓也は笑みを漏らしていた。心の安らぎからくる、理由のない笑みだ。世間でいう肉親の感触とはこういうものなのかと、自分が味わったことのない世界を想像してみた。

その時カタッと小さな物音がした。機械の陰からだ。

「誰だ?」

拓也はロボットから離れると、音のした方に歩きだした。黒い影が機械の隙間を抜けていくのが見えた。出口の方だ。

拓也が廊下に出ると、誰かが階段を駆け降りていくところだった。足音は響いているが、もはや姿は見えない。

いったい何者だ？

拓也は妙な胸騒ぎを覚えた。


翌日になっても、橋本は会社に現われなかった。彼の職場では、係長と課長が朝から右往左往している。どうやら午後からの重役ヒアリングに、橋本が出席することになっていたらしい。彼の研究内容などを重役の前で発表するわけだが、たったそれだけのことが、橋本の上司である係長や課長には出来ないのだ。

「昨日、帰りに彼のマンションに寄ってみたのですが、誰もいないらしくて玄関のチャイムを鳴らしても反応がありませんでした」

係長が説明している。

「いない？　いつからだろう」

課長の表情には焦りが見えた。

「たぶん、土曜日の午後からです」

「土曜？　どうしてそんなことがわかるんだ」

「土曜日の夕刊以後の新聞が、新聞受けに差しこんでありました。でも土曜の朝刊はありませんでしたから」

「……なるほど」

課長は見直したような顔をした。拓也も感心した。大したことではないが、この係長にしては上出来だ。

「仕方がない。実家にかけてみろ」

課長がたまりかねたように係長に命じた。傍《はた》迷惑なほど大きな声で、他の職場の連中も一課で何が起こったのかと好奇の目を向けている。

課長に命じられ、係長は橋本の実家の連絡先を調べると、あわてたようすでプッシュボタンを押した。相手が出たらしく、係長は少し吃りながら橋本の無断欠勤について説明した。そして心当たりがないかと訊く。係長の表情からすると、橋本の家族にも彼の欠勤の理由は見当がつかないらしい。

「橋本の親父さんが、奴のマンションを訪ねてみるとおっしゃっています」

電話を切った後で係長はいった。

「しかし留守なんだろう？」と課長。

「管理人に頼んで鍵をあけてもらうとおっしゃっています。もしかしたら部屋で倒れているのかもしれないと……」

後の方は語尾をにごした。

「倒れている？　そんなことはないと思うがなあ」

課長はいったが、それでもやはり不安そうだ。そしてぽつりといった。「橋本の実家は千葉だったな。ということは、いずれにしても午後のヒアリングには間にあわんな」

彼の頭の中は、重役の前で橋本の難解な研究内容を、いかに説明するかということで占められているようだった。

「鈴木《すずき》君、準備しておいてくれよ」

意を決したように彼はいった。鈴木、というのが係長の名字だった。

橋本は部屋で死んでいたというニュースが流れたのは、この日の午後二時頃だった。

拓也は事態がどうなったかを知りたくて、実験棟にはいかずに自分の机で仕事をしていたのだが、この知らせを聞いた時には思わず小踊りしたくなった。これで秘密を知る人間が一人減ったわけだ。よくやってくれた。よくぞ死んでくれたという気持ちだ。

「いったい死因は何だったんですか」

一課の人間が集まって橋本の話をしているようなので、拓也も神妙な顔を作って輪の中に入っていった。

「それがよくわからないんだよ。橋本の親父さんが部屋に入ってみたら、奴は机に座ったまま死んでいたらしい」

拓也よりも一歳年上の男が答えた。

「座ったままって……外傷とかはないんですか」

拓也がこう訊いたのは、橋本が手首を切って死んでいる状況を思い浮かべたからだった。あるいは首吊りか。

しかし返ってきた答えは、拓也が全く予期していないものだった。

「外傷なんてないよ。病死だよ。心臓マヒじゃないかっていわれてるんだ」

2

運ばれていく死体を見送ったあと、妙な話だと佐山は思った。MM重工の社員で、仁科敏樹のお気に入りの一人でもある男が変死したと聞いたから、狛江署の捜査本部から駆け付けてきたのだった。ところが橋本が殺されたという痕跡はひとつもない。挙句《あげく》の果てに病死かもしれぬという。

「とんだ骨折り損でしたね。心臓マヒらしいですよ」

矢野がうんざりした顔を隠そうともせずにいう。ここに来るまでは第二の事件が起きたといってはりきっていたのだ。

発見された時、橋本敦司は机にうつぶせになって死んでいたらしい。パジャマ姿で、傍《かたわ》らには万年筆が転がっていた。傍らに置いてあったダイレクトメール類は土曜日に到着したと思われるもので、おそらく土曜の午後あたりに死亡したものと推測された。

外傷はない。特筆すべき死体反応もなし。

「しかしタイミングが気にかかるな。仁科直樹の葬儀が済んだ直後というのが、話として出来すぎてるように思う。それに橋本の父親によると、奴は特に心臓が弱かったということもないそうだ」

「そんなのは参考になりませんよ。超人的に心臓の強いスポーツマンなんかでも、ある日突然心臓マヒで死んでしまうことがあるんですからね」

「それは聞いたことがあるが」

「とにかく、橋本の死亡は偶然ですよ。だいたい意識的に心臓マヒを起こさせるなんてことは不可能ですからね」

「そうかもしれんが、一応身の回りの物を調べておこう。やることだけはやっておかんとな」

佐山は部屋を見渡したあと、本棚に歩み寄った。電子工学や機械工学の専門書が並んでいる。そのほかは時代小説やSF小説の文庫本、旅行ガイドといったところだ。

平均的なサラリーマンということかな――小さな写真入れが飾ってあったので、佐山は手にとってみた。父親と橋本、あとの二人は母親と妹だろう。家族でどこかの温泉にでも行った時の写真かもしれない。橋本の年齢から察して、十年ぐらい前のものだろう。

「気の毒にな」

思わず佐山は呟いた。これまで育ててきて、ようやく一人前になったところで突然の死だ。本人よりも、残された親の方に同情してしまう。

写真入れを戻した時、彼の背後でガタンという音がした。振り返ると、矢野が机の下でうずくまっていた。そして次の瞬間には絞りだすような声をあげ、床に倒れた。

「おい、どうしたっ？」

佐山は助け起こそうとした。だが矢野は激しく咳きこむだけで答えられる状態ではない。いったい何があったっていうんだ——。

佐山は矢野が見ていた橋本の机の上に目を向けた。

真新しい万年筆が、ほうりだされていた。


翌日の水曜日——。

「青酸ガス？」

鑑識からの報告に、佐山たちは目を丸くした。青酸カリや青酸ソーダによる毒殺なら馴染みもあるが、ガスとは……。

荻窪署の会議室内である。橋本の死亡は他殺の疑いが濃いとされ、捜査本部が設置されたのだ。また先の仁科直樹殺しとも密接な関係があると考えられるため、実質的には合同捜査の形になる。狛江署の捜査本部からも捜査員が集まり、会議室は息苦しいほど混みあっている。

「これが今回用いられたものと同形の万年筆です」

鑑識課員が万年筆を高く上げた。黒色の平凡なものだ。次に鑑識課員は分解して、インク入れの部分を見せた。

「これはカートリッジ・インク、つまりスペアインクを入れ替える方式ではなく、インク瓶からインクを吸い上げるタイプです。ペン先をインク瓶に突っ込み、ピストンを動かすことでインクが入ります。昔の水鉄砲の要領ですな。で、問題は、このインクの入る部分です。調べた結果、どうやらここには青酸カリの結晶が入っていたようなのです」

　室内がにわかにざわめく。

「そうするとどうなるのかね」と荻窪署の署長が訊いた。

「そのままではどうにもなりません。一応は安定した物質ですから。しかし」

　鑑識課員はインク瓶を出してきた。やはり橋本の部屋で発見されたのと同じものだ。その蓋《ふた》を外すと、そこに万年筆のペン先を突っ込んでピストンを動かした。

「このようにしてインクを入れてやると変化が起こるのです。ただしこの場合、青インクでなければなりません。青インクには酸性の性質があるので、青酸カリと混ざって化学変化を起こすのです。その結果シアン化水素つまり青酸ガスが発生します」

　ざわめきがさらに大きくなった。

「黒インクではだめなのだね」と署長。

「だめです。青色を出すための成分に酸が含まれているのです。じつは現場から見つかった青インクの瓶を調べてみたのですが、市販のものより酸性がやや強いことがわかっています。つまり犯人は化学反応を促進するために、硫酸か何かを何滴か落としておいたのではないかと考えられるのです」

　知能犯だな、という声が上がった。何人かが頷く。これだけ捜査員が集まっていても、こういう犯行を経験した者は一人もいないはずだった。

「橋本敦司は、そのガスを吸って死んだわけですね」

捜査員のひとりがいった。

「そうです。ガスの発生量がどの程度だったかはわかりませんが、何しろものが万年筆ですから、発生源はかなり顔に近かったということになります。空気中に拡散する前に吸いこんだと考えられますから、殆ど即死に近い状態だったのではないでしょうか」

「怖いな」と誰かがいった。

「青酸ガスは怖いです。じつは発見された時には化学反応は鎮静化していましたが、狛江署の矢野刑事がいじっているうちに、わずかに残っていた分が反応したようなのです。発生したガスはごく少量だったはずですが、それでも矢野刑事は呼吸器中枢《ちゅうすう》に衝撃を受けて、ひっくりかえってしまいました。幸い命に別状はありませんでしたが」

捜査員の中から失笑が漏れる。話題の矢野は、まだ病院にいる。彼にとってはとんだ災難だったが、そのおかげで万年筆のトリックにも気づいたのだった。青酸ガスによる中毒死は、解剖でも死因が摑みにくいらしいのだ。

鑑識の報告が終わった後、荻窪署の刑事課長から万年筆についての説明があった。それによると万年筆は、先週土曜日に橋本のもとに小包として届けられたものらしい。死体のすぐそばに、万年筆とインク瓶を包んであったと思われる小包用の梱包《こんぽう》紙が落ちていたのだ。それによると差出人は仁科敏樹、発送の日付は前日の十三日、調布局の消印になっている。ＭＭ重工のすぐそばだ。

「この点について仁科氏に問い合わせましたところ、そういうものを送った覚えは全くないという返事でした」

それはそうだろうな、と佐山は思った。犯人が自分の名前を書くはずがない。ただ、仁科敏樹の名前を使ったというのは気にかかる。

住所、宛名、差出人の文字は、すべてワープロで書いてあった。機種はまだ限定されていないが、MM重工の各職場に置いてある端末機とは字体が少し違う。

万年筆はS社製、箱を包んであったと思われる東友デパートの包装紙が、梱包紙と同様に橋本の部屋から見つかっている。包装紙には、粗品と書いた紙が貼ってあった——。

考えたな、と佐山は犯人のやり方に感心した。仁科直樹の葬儀の翌日に、喪主から粗品と書いた小包が送られてきても、さほど不思議には思わないだろう。橋本がまんまとトリックに引っ掛かったのも理解できる。

捜査会議は、今後の方針決めに入っていた。荻窪署では万年筆や青酸カリのセンから当たっていき、狛江署の方では仁科直樹殺しとの関連を探っていくというふうに方向が決められた。

会議が終わると、佐山たちは狛江署に向かった。若手刑事が運転する車の後部席に、佐山は谷口警部と並んで座った。

「仁科殺しの捜査が停滞しているというのに、厄介なことになったものだ」

車の発進と同時に谷口が口を開いた。「問題は、今度の件が前の事件とどう関係しているかだ。橋本は仁科直樹と同じ犯人に、同じ動機で殺されたのか。それとも橋本自身が仁科殺しに関わっていたのか」

「両方の可能性を考えるべきでしょうね」と佐山はいった。「まずは仁科直樹が殺された日の、橋本のアリバイを探ってみますよ」

谷口はすぐに頷いた。

「それはやっておいてくれ。しかし橋本は、あの日休暇をとった人間の中には入っていなかっただろう」

「入っていません。ですが一応」

「そうだな。休暇届を出さずに会社を抜けることも、可能だったかもしれんからな」

「それから、橋本と仁科直樹との繋《つな》がりも調べてみますよ」

「仕事で関係していたのかな」

「同じ研究開発部ですからね。関係はあったかもしれません」

直樹の下で働いていた事務員の顔を佐山は思い出していた。たしか中森弓絵といった。彼女なら何か知っているかもしれない。

「ところで、あの日、休暇をとった人間のアリバイは、全部調べ終わったんですか」

話題を変えてみた。

「仁科直樹が関係していたと思えるところだけは、とりあえずな」

だが谷口の歯切れはよくない。「休暇をとるからには、それなりの理由があるのだろうと考えていたんだが、何となく休んだという者が案外多いので驚いた。有給休暇を計画的に消化するよう指導されているので、そろそろこのあたりで休んでおこうということらしい。日本人は働きすぎで、遊び下手だというのは事実だな。一日中テレビを見ていたという者や、パチンコに行って時間を潰したという人間が多かった」

「そういう連中だと、アリバイ確認も大変だ」

「そういうことだ」

「で、目に留まった人間は？」

「一人だけ」といって谷口は人差し指を立てた。「といっても、職場が気にかかるという理由だけだがな」

「誰ですか？」

「仁科敏樹たちの役員室に、雨宮康子という事務員がいる。この女がやはりあの日に休暇をとっているんだが、アリバイがはっきりしない。本人によると、街をぶらぶらしていたということだが」

佐山は吐息をついた。

「それだけでは怪しいとも何ともいえませんね」

「そのとおりだ。それに、あの手口は女には無理じゃないかな」

「絞殺か……」

直樹は背後から紐で絞められていた。また解剖の結果でも、直樹の体内から睡眠薬などは検出されていない。つまり直樹は抵抗したはずなのだ。死にものぐるいで男が暴れれば、普通の女性ならば飛ばされてしまう。

「もっとも」と谷口はいった。「共犯となれば話は別だがな」

「共犯、ね」

何かが頭の中に浮かびかけるのを佐山は感じた。仁科直樹が殺された事件から、ずっと心に引っ掛かっているものがあったのだ。それがぼんやりと見えかけた。

「どうかしたか？」

谷口に問われて、彼は首をふった。

「いえ、何でも」

ぼんやりと見えかけたものが形を成すには、まだ少し時間がかかりそうだった。

3

橋本の死は病死ではなく他殺だということを、拓也は水曜日の夜のニュース番組で知った。そのこと自体相当な驚きだったが、それ以上に拓也を戦慄させたのは、その殺害方法だった。

「犯行に用いられたのは、これと同じ万年筆です。このインク入れの部分に青酸カリが仕込まれていて――」

ニュース・キャスターが説明している。拓也は自分の机に飛びつくと、引出しの中から土曜日に届いた小包を出した。

間違いなく、テレビ画面に映っているものと同じ万年筆だった。そして青インクの瓶、東友デパートの包装紙、粗品の文字、差出人、すべて一致している。

そして——。

拓也は万年筆を分解してみた。インク入れの部分は半透明になっている。よく見ると、たしかに中に何かが入っていた。白い結晶体だ。

鳥肌がたった。

「これはこれは、何とも……」

毒入り万年筆を置くと、それを眺めながら拓也はわざとおどけた調子で呟いた。少しでも恐怖を和《やわ》らげるためだった。謎の殺人鬼は、橋本だけでなく同時に拓也をも殺そうと企んでいたのだ。

そしてその犯人は仁科直樹を殺した人間と同一だと拓也は確信した。どういう理由かは不明だが、犯人は、康子殺害計画を立てた三人の男を狙っているのだ。

次は俺、か——背筋がぞくりと冷たくなるのを拓也は感じた。

犯人は別の方法を考えてくるだろう。拓也が、自分のところにも万年筆が送られてきたなどと警察に訴えて出たりしないことを、敵は知っている。


木曜の朝刊には、橋本の死が他殺であると断言されていた。万年筆を凶器に使ったことが異色な印象を与えるからか、各方面の評論家の談話が載っている。非常に独創的な犯行手段だ、犯人は毒物に精通しているのではないか——某推理作家の弁だ。他人事《ひとごと》だと思って、のんびりしたことをしゃべっている。

また他の欄では、同じ会社の社員だということで、先の仁科直樹が殺された事件と結びつけて述べられていた。しかし両者の共通点や繋がりについては一切触れていない。手がかりが何もなくて、触れたくても触れられないというのが本音だろう。

新聞を読みおえると、拓也は支度して靴を履いたが、ドアを開ける前にもう一度室内を見渡した。戸締まりは完璧だし、ガスの元栓は閉まっている。

しかし会社から帰ってきても、軽率に中に入ったりするのはまずいなと彼は思った。

いくら戸締まりをしていても、その気になれば侵入は可能かもしれないのだ。自分の知らない間に、合鍵を作られている可能性もある。そうやって忍びこんだ犯人が、ナイフを持って冷蔵庫の陰に隠れているかもしれない。あるいは、ガスの元栓を開いておくかもしれない。天然ガスは一酸化炭素中毒にはならないけれど、拓也が帰ってきて蛍光灯のスイッチを入れた瞬間に爆発するというわけだ。

冷蔵庫の中の食べ物に毒を入れておく手もある、と拓也は思った。洗濯機のアース線を外して、感電死する仕掛けを作っておくのも一つだ。

いろいろあるものだ、と彼はひきつった苦笑を浮かべた。今思いついたいくつかの方法は、どれもこれも自分が康子を殺すために考えた手段なのだ。まさか自分の身を守るために役立つとは考えていなかった。

とにかく、なんとか先手を取ることだな——玄関を出てドアの鍵をかける頃には、彼の顔には険しさが戻っていた。

出社すると、やはり職場は橋本の死の話題でもちきりだった。といっても騒いでいる者など一人もいない。低い声と暗い顔つきで話している数人の輪が、あちらこちらで出来ているのだ。

拓也が自分の席につくと、机の上にメモが置いてあった。整った文字で、『末永さん　仁科専務がお呼びです』と書いてある。同じ課の女子社員の筆跡だ。

彼はすでに出社している係長に声をかけてから、研究開発部の部屋を出た。

専務室に行くと、宗方伸一も来ていて、仁科敏樹と向きあってソファに座っていた。敏樹は宗方の隣りに座るよう拓也に指示した。

「話というのはほかでもない。直樹と橋本君のことだ」

拓也が腰を下ろすのとほぼ同時に敏樹はきりだした。無駄な前置きをしないのが、この専務の特徴だ。

「君は事件について、何か心当たりはあるかね？」

いつもと変わらぬ、穏やかでゆったりとした口調だ。先週息子を殺されたばかりだとはとても思えない。

「いいえ、何もありません」と拓也は答えた。「しかしなぜ私にお尋ねになるのですか。私は特に仁科室長や橋本君と親しかったわけではないのですが」

すると敏樹は全く顔の表情を変えずにいった。

「単純な理由からだよ。今度のことで宗方君と話していたところ、あの二人を殺す明確な動機を持つ第一の人間は、おそらく君だろうと宗方君がいったからだ」

それを聞いて拓也は驚いて宗方を見た。彼は敏樹の話も耳に入っていないし、拓也の視線にも気づかないといったようすで、壁の風景画に目を向けている。

「直樹は君と星子とのことを認めていないようだったし、橋本君は星子を巡ってのライバルといえなくもないからね。もっとも」

敏樹はソファに座りなおすと、足を組んだ。「そういう自分が疑われることが明白な手段を、君が選ぶはずがないといったのも宗方君だがね。それに橋本君がもはや君のライバルでないことは、我々もよくわかっている」

しかしだ、と敏樹はここで少し声のトーンを上げた。拓也は思わず背筋を伸ばした。

「こういうことは心情的な面からだけでなく、理詰めで納得しておく必要がある。君は本当に何も心当たりがないのだな」

「ありません」と拓也は背中を伸ばしたままで答えた。

「警察から疑いを持たれた場合、身の潔白を証明することは可能かね」

「それは可能です」と拓也はここでちらりと宗方を見てから続けた。「じつは刑事からすでに一度アリバイを調べられているのです。室長が殺された日、私は名古屋に出張に行っていました。このことは、多くの人間によって証明されているはずです。その後刑事は一度も来ませんが、おそらくアリバイが立証されたからだと思います」

彼の話を聞き終えると、敏樹は宗方の方に目をやり、一度小さく頷いた。それから再び拓也を見た。

「よし、わかった。疑うわけではないが、客観的事実が欲しかったのだよ。これで今度の事件について、君にも相談することができる」

「ええ、どんなことでも——」

拓也が敏樹の目を見て答えた時、ドアをノックする音がした。康子がトレイに三人分の湯のみを載せて入ってきた。拓也は咄嗟に目をそらせる。

「ありがとう、気がきくね」

敏樹が彼女に言葉をかけている。彼女がかすかに微笑む気配があった。

「この雨宮君には私も世話になっているのだがね、間もなく会社を辞めるのだそうだ」

「へえ……」

拓也はちらりと彼女の横顔を見た。一瞬目が合いそうになって、また視線を下げる。

「薔薇が一輪散るようなものですね」

宗方の言葉に、

「そうだよ。寂しいかぎりだ」

敏樹はこういって湯のみに手を伸ばした。康子は何もいわずに下がっていく。彼女がドアを閉める直前になって、拓也は目を向けた。彼女は軽く頭を下げているところだ。

そして最後に一瞬だけ、二人の視線がぶつかった。

専務室を出てエレベーターに乗ると、後から宗方が入ってきた。ほかには誰もいない。

「気を悪くしたかもしれんが、馴れ合いは許されない状況なんでね、理解してほしい」

閉じた扉の方を見たまま宗方はいった。

「別に気にはしていません」

「それならいいんだがね。ロボット事業部のことは、さすがの僕にもよくわからないんでね。君の協力が必要になることがあると思うんだ」

航空機事業部のことなら何でも把握しているんだが、という口ぶりだった。

「職場が関係しているとはかぎりませんよ。仁科室長や橋本がたまたまロボットの人間だったというだけで」

「そうあってほしいね。業務に関連があるとなれば大問題だからな」

エレベーターが止まり、扉が開いた。では失礼と宗方は降りかけたが、拓也は彼の前に手を出して制した。

「ところで」

彼は唇を舐めてから訊いた。「宗方さんは今度のことで専務の手助けをしておられるようですが、客観的事実による身の潔白の証明はお済みなんですか」

どんな顔をするかと期待したが、宗方の表情は変わらなかった。むしろ彼の質問を面白がっているように見える。

「もちろん済んでいるよ」と宗方はいった。「あの日僕は横須賀《よこすか》に出かけていたのだが、夜になってから仁科家にお邪魔したんだ。犯人が死体を運んでいる時、僕は専務とブランデー・グラスを傾けていたというわけさ」

そういうと拓也の手を軽く払い、エレベーターを降りていった。

職場に戻ってから、宗方の言葉を考えた。横須賀というのは、航空機事業部の工場のことだろう。そこに行って、夜には帰ってきたという。

しかし横須賀でのアリバイが立証できないと、身の潔白を証明したとはいえないな、と拓也は思った。死体を運んだのは自分たちなのだから、その間のアリバイがあっても無意味なのだ。肝心なのは、直樹が殺された時のことだ。

宗方伸一……か——。

油断できない相手だと思った。考えてみれば、仁科直樹が死んで得する人間の一人なのだ。仁科家に男児はいなくなり、敏樹の仕事を引き継ぐのは、現在のところだと宗方ということになった。そしてさらに先を見通せば、ＭＭ重工の社長の座も夢ではない。

ただ、と拓也は思い直す。宗方には橋本を殺す動機がない。仮に例の連判状を直樹の死体から入手したにしても、康子を殺害しようとしていたことと、宗方とは何の関係もないはずだ。

いや、宗方だけではない。直樹を殺した犯人が誰であれ、あの連判状に署名した橋本と拓也を殺す理由はないのではないか。

その理由があるとすれば——。

拓也はここでまた康子のことを思い浮かべた。自分を殺そうとした男たちに復讐する。それなら考えられることだ。

とにかく、何とかあの女を始末することだと彼は思った。康子が直樹や橋本を殺した犯人かどうかはともかく、拓也にとって都合の悪い存在であることに変わりはないのだ。会社を辞めるということだが、実家に帰られでもしたら手を出しにくくなる。

そうでなくても実行するなら早い方がいいと、拓也はシャープペンシルをナイフのつもりで握りしめた。警察がまだ何も掴んでいないうちにだ。

理想は、と拓也は考える。直樹や橋本を殺したのが康子で、彼女も最後は自殺したという状況を作れれば理想的だった。そうすればとりあえず警察の動きは鎮静化する。

最悪は、真犯人が警察に捕まってしまうことだった。犯人は、拓也を含めた三人の男が雨宮康子を殺害しようとしていたことをしゃべる。その瞬間、ジ・エンドだ。

早い方がいい。なるべく早く――。

シャープペンシルを握る手に力をこめた時、机上の電話が鳴った。ふと我に返って受話器を取り上げる。

「開発二課ですが」

「末永さん？　あたしよ」

電話は仁科星子からだった。

4

弓絵が萩原に呼ばれ、室長室から大部屋に移ってくれと命じられたのは、始業のチャイムが鳴ってすぐのことだ。開発一課の橋本が殺されたというニュースで、職場内はまだ何となく落ち着いていなかった。

「室長用の個室があったこと自体、おかしかったわけだからね。あの部屋は資料室にする予定だよ。今日中に君の机とキャビネット類を移動させておくようにね。ああ、ついでにファイルの整理も頼むよ」

萩原は早口で指示をしてくる。弓絵はぺこりと頭を下げ、「わかりました」といった。そして萩原の前を離れながら、助かったと思った。仁科直樹が死んだことで、萩原が名実ともに開発企画室の長ということになった。そうなると彼が室長室に机を持ちこんでくるのではないかと、内心ヒヤヒヤしていたのだ。弓絵は萩原の粘液質なところが嫌いだった。かなり陰険な性格だということも見抜いている。あの男と一日中二人きりかと思うと、ノイローゼになりそうなくらい憂鬱《ゆううつ》だった。

仁科室長は優しかったもの——机の上を整理しながら、弓絵は直樹のことを思いだした。彼と二人きりでも、息が詰まりそうになったことなど一度もなかった。弓絵が気分よく仕事できるよう、いつも気を配ってくれていた。

考えようによっては、それが一番の謎だったなと彼女は思った。仁科室長はなぜあんなにあたしによくして下さったのだろう。いやそれ以前に、なぜ室長はこんなあたしを自分の職場に呼んだのだろう。

もちろん直樹の近寄りがたい雰囲気も弓絵の記憶の中にはあった。しかしそういったものは次第に薄れて、今は良い印象だけが残っている。

あの仁科直樹が殺された――それはやはり弓絵の理解しがたい出来事だった。それとも彼は彼なりに、どろどろとした人間関係の中に生きていたのだろうか。開発一課の橋本にしても、人のよさそうな男に見えたのだが。

「あっ」

彼女が手を止めて声を漏らしたのは、重大なことを思い出したからだった。いや、重大かどうかはわからないが、黙っているべきことではない。

あれは何日ぐらい前のことだっただろう、と弓絵はカレンダーを見た。この部屋に、橋本が呼ばれたことがある。あの時自分は席を外してくれといわれたのだった。いかにも密談を始めるといった調子で……。

いや、橋本だけではなかったと彼女は思いだした。そうだ、末永だ。開発二課の末永。彼も一緒だった。

このことを刑事に話すべきだろうかと弓絵は迷った。そのことによって末永に妙な疑いがかかることになると、後味が悪いかもしれない。

今度何か訊かれたら――彼女は頷いた。積極的に話すことはやめよう。でも刑事に訊かれたら答えることにしよう。

そう決心することで、かなり気分は楽になった。

彼女は黙々と机の片付けをし、キャビネットのファイルを整理していった。先日捜査員が来て、直樹が個人的に所有していたノートなどは持っていってしまったが、業務上のファイルなどは無論そのままである。

あら、と思ったのは、キャビネットの一番下の段を整理している時だった。『××年度業務計画』という見出しのついた薄いファイルが何冊か並んでいるのだが、その中に奇妙な一冊が紛れこんでいたのだ。

昭和四十九年度業務計画。

なぜこれが奇妙かというと、開発企画室が作られたのが昭和五十年だからだ。その前年の計画書が存在するはずがない。

弓絵はそのファイルを抜き取ってみた。さらにおかしなことに、それほど古くもなっていない。五十年代のファイルでも、もう殆ど黄ばんでいるというのに、だ。

いったいどういうファイルかしら、と彼女は何気なく表紙を開いた。


若い男性社員に手伝ってもらって、机とキャビネットを運び終えた。机の位置は萩原の隣りだ。弓絵が新しい席につくと、

「よろしく」

と萩原が改めてという感じで声をかけてきた。こちらこそ、と弓絵は答えたが、変にかすれた声しか出なかった。

「どうしたんだい？　顔色が悪いね」

「いえ、何でも。少し疲れただけです」

弓絵は自分の頬に軽く触れたあと、仕事をしやすいように机の上に事務用品を並べ始めた。

電話が鳴った。萩原の机の上だ。彼は素早く受話器をとって二言三言話すと、送話口を掌で塞《ふさ》いで弓絵の方を見た。

「中森君、今あいてるかい？　またロビーに刑事が来て、君に話を聞きたいといってるそうだが」

「刑事さんが……」

少し考えてから、彼女は頷いた。「はい、今ならいいですけど」

それを受けて萩原が電話の相手と何か話している。受話器を置いてから、

「来客室の十二番テーブルで待っているそうだ。佐山という刑事だよ」といった。

いわれたテーブルに行くと、佐山が一人で座って待っていた。この前は一緒だった、もう一人の血の気の多そうな刑事はどうしたのだろうと思いながら、弓絵は挨拶して向かいに座った。

刑事の質問は、仁科直樹に関することから始まった。その後何か思いだしたことはないか、誰かから気になる噂を聞いたことはなかったか、などだ。

「いいえ」と弓絵は答えた。

「何かを見つけただとかは？」

「見つけた？　何をですか？」

「事件に関係していそうなものですよ。仁科さんのちょっとしたメモだとか。ありませんか」

「ありません」

そして弓絵はテーブルに目を落とし、膝の上でハンカチを握りしめた。

刑事の質問は続く。前にされたのと同じようなことばかりだ。だから彼女は前と同じように答えた。何も心当たりはありません——。

「橋本さんのことですが」

話題が変わった。「仁科さんとの関連について、何か思いつくことはありませんか。たとえば最近仕事で結びつきが深かったとか、何かの趣味を共有していたとか」

弓絵は首を傾《かし》げてみせる。さらに刑事は続けた。

「最近になって二人で会っておられたとか、そういうことはありませんか」

「二人で……」

「いや、別に二人きりでなくてもいいのですが」

弓絵はハンカチを握る手に力をこめた。そして刑事の目を真っすぐに見返すと、

「いいえ、覚えはありません」

と、はっきりとした口調でいった。

5

中森弓絵が来客ロビーを出ていくのを見届けると、佐山は受付カウンター横の社内電話のところに歩いていった。受話器を上げ、研究開発一課にかける。鈴木という係長と会う約束をし

てあるのだ。

電話に出た鈴木は、今からすぐに行きますと答えた。声の感じからだと、気の弱そうな印象を受ける。

電話を済ませてからテーブルに戻り、今までの聞き込みの成果を整理してみた。橋本の父親から聞いたかぎりでは、仁科直樹と個人的な関わりはなかったらしい。離れて暮らしているわけだから実際のところはわからないのだが、

「いえ、敦司は我々に隠し事をするような子ではなかったです」

と答えた父親の台詞《せりふ》には自信が満ちていた。その自信が落とし穴なのだと思ったが、口には出さなかった。

中森弓絵から何も情報が入らなかったのは期待外れだったなと、佐山は思った。仁科直樹の一番近くにいた人間である。何か手がかりがあるものと考えていたのだ。

そういえば、妙な話が狛江署で出ていたな――。

弓絵のことだった。かつて設計部にいた彼女を、直樹が強引に現在の職場に引き抜いたらしいというものだった。そのことでちょっとした噂が流れたこともあったらしいが、結局は噂にすぎなかったということだ。

中森弓絵は、あの日会社を休んではいないな――。

それでも一応調べておくかと思った時、佐山の目の前に人が立った。彼が顔を上げると、電話での印象通り、貧相な表情の男が頭を下げた。

「するとあの日橋本さんは、夜の九時頃まで残業をしておられるわけですね」

佐山の質問に、開発一課の鈴木は何度も頷いた。橋本の上司だったということだが、それは形の上だけのことで、現実には橋本が自分の意思で研究を進めていたのだと鈴木本人が告白した。

「鈴木さんはずっと橋本さんとご一緒だったわけですか」

「ずっとではないですが、彼が残っていることは知っていました。実験室で姿を見かけましたからね」

「なるほど」

九時までアリバイがあるのではしかたがないな、と佐山は思った。十一月十日、つまり仁科直樹が殺された日の橋本の行動を尋ねたのだが、どうやら間違いなく勤務していたようだ。

「ところで橋本さんという人は、どういう人だったんですか」

世間話の調子で訊いてみる。それで鈴木もちょっと緊張を解いたようすで、

「まあ真面目な男でしたよ。少し線の細いところはありましたがね。身体は太かったのですが」

軽口を叩く余裕を見せる。

「野心家でしたか？」と佐山は訊いた。

「野心？　いやあ、野心家という感じではなかったですね。夢はあったみたいですがね」

「どういう夢ですか」

「将来は宇宙開発にもタッチしたいとかで、そのために米国MMに行かせてほしいという希望を出していましたね。向こうではそういうことをやっていますから。で、じつはその希望も通りそうだという話だったんですよ。それで本人も喜んでいたのですが……残念なことになりました」

滑らかに動いていた鈴木の口が、ここでにわかに重くなった。

「仁科直樹さんとの付き合いはどうだったんでしょう？　そういう話を聞いたことはありませんか」

鈴木は首を捻《ひね》った。

「仕事の上で、形式的な繋がりはありましたがね。個人的な付き合いがあったとは記憶していませんね」

「先の仁科さんが殺された事件について、橋本さんは何かいっておられませんでしたか」

どうだったかな、と係長はここでも顔を傾けた。

「あまり話さなかったですからね」

「話題を避けていたとか？」

「というより、やっぱり他人事だと思っていたんじゃないですか。まさか自分もそんな目に遭うとは思いませんからねえ。とにかく彼は、恨みをかうような人間ではなかったですよ。親孝行でしたしね。月に何度かは千葉の実家に帰って、ご両親をドライブに連れていったりしていたらしいです。なかなか出来ることじゃありませんよね」

「たしかにね」

佐山は相槌《あいづち》を打ったが、鈴木の話の中に、少し引っ掛かる言葉が含まれていたことに気づいた。

「橋本さんはドライブがお好きだったんですか」

「好きだったみたいですよ。一人で伊豆の方まで行くこともあるっていってました」

「どういう車に乗っておられましたか」

「ええと、たしか慰安会の時に乗せてもらったんですよ」

かなり後退している額を拳で軽く叩いたあと、「ああ、そうだ。クラウンですよ。両親をゆったり座らせたいからっていってました」

「クラウン……か」

佐山はその車体を思い浮かべた。座席だけでなくトランクも広い。

「その慰安会でもね、疲れる運転役を文句もいわずに引き受けてくれましてね。いい奴でしたよ。なぜこんなことになったのか、全くわけがわかりませんよ」

延々と続く鈴木の話を佐山は半ば上の空で聞いていた。

橋本の白いクラウンは、マンションの東側にある駐車場に止めてあった。こまめにカーワックスをかけていたらしく、新車のような輝きがある。橋本の性格が、こんなところにも出ているようだ。

　ということは、車内の清掃も普段からきちんとやっていたのかな――。

　もしそうなら、判断が少し難しいなと佐山は思った。

「九時まで会社にいたということは橋本はシロだ。車を調べても無駄じゃないか」

　橋本のクラウンを調べたいと申し出ると、谷口はこういう疑問を口にした。それが妥当な考えであることは佐山にもわかっていたが、

「しかし念のために」

　と粘ってみた。「直樹の死体を運んだということは、車を使ったということです。犯人の心理として、レンタカーは使わないと思います。証拠を残すことになりますからね。その車は案外身近なところにあるんじゃないかと、俺は睨んでいます」

「その考えには基本的には賛成だが」

　谷口は頷いていった。事実彼は、直樹の愛車であるボルボを徹底的に鑑識に調べさせている。犯人が直樹自身の車を使って死体を運んだ可能性もあるからだ。しかしボルボからは何も出なかった。またマンションの住人の証言から、事件当日にボルボが駐車場に止めたままになっていたこともわかっている。

「一応やってみるか。橋本が犯人に車を貸したということも考えられるからな」

　しばらく思案した後、谷口は佐山の提案を受けいれたのだった。

　何か出てこないか。髪の毛の一本でもいい――鑑識の作業を見守りながら、佐山は自分の直

感が当たっていることを祈った。

「どうですか」

トランク・ルームを調べている鑑識係に声をかけてみた。だがまだ若い鑑識係は、作業を続けながらも首を捻った。

「最近掃除した形跡がありますね。紙屑ひとつ落ちていませんよ」

「ほう……」

掃除をした形跡があるというのは、脈があると解釈できると佐山は思った。犯人が、死体を運んだ車を掃除もせずにほうっておくはずがない。もっとも、そのために犯行の痕跡が見つからないというのは痛し痒《かゆ》しだったが。

座席の方に回ってみる。ここでも鑑識係が、慎重な手つきで指紋の採取などを行なっている。たとえば犯人がこの車を借りたのだとすれば、橋本以外の人間の指紋がハンドルなどについている可能性がある。

「奇麗《きれい》な車です」と鑑識係は佐山にいった。「樹脂部分などには、きちんとそれ用の保護液を塗ってあります。埃がこびりついたようなところもない。買ってから二年の車だとはとても思えませんね。相当頻繁に掃除をしていたようです」

「最近になって、あわてて奇麗にしたというわけではないんですか」

「そうではないと思いますね。普段から手入れしていないと、こうは保てません」

「そうですか」

それではあまり面白くない、と佐山は思った。急いで清掃したような形跡があればうまいのだが。

よろしく、といって佐山がその場を離れようとした時、鑑識係が、「おや」という声を漏らした。見ると、鑑識係はシートの下を覗きこんでいた。

「どうかしましたか」

「ええ、こんなものが」

鑑識係が佐山に渡したのは、一センチ角ほどの紙片だった。

「数字が書いてありますね」

佐山はいった。白地の紙に、『1150』という数字が並んでいるのだ。スタンプされたものらしく、少しかすれている。数字の上にはオレンジ色の『金』という文字。こちらはくっきりとした印刷だ。

「何だろうな」と佐山は呟いた。

「何でしょうね。どこかで見たことがあるような気がしますが」

「ええ」と彼は頷いた。「俺も今そう思っていたところなんですよ」

そして彼は紙片を指先で摘むと、太陽の光をすかしてみた。

あっさりと佐山の疑問を解決してくれたのは、ドライブ好きの新堂刑事だった。狛江署の捜査本部内に問題の紙片を持ちかえったところ、彼はひと目見るなりいった。

「ああ、これは高速道路の領収書ですよ。間違いない」

「領収書?」

「ええ。たしか持ってたと思うんですが」

新堂は自分の財布の中から白い紙を一枚出してきた。『領収書　日本道路公団』と印刷されたものだ。それを見せられてすぐに納得した。これなら馴染みがある。料金所で必ず受け取る紙だ。

「なるほどそうだ。『金』というのは『料金』と印刷された一部なんだな。で、『1150』というのは金額をスタンプしたものか」

「見慣れたものでも、一部分だけだとわからないという見本ですね」

新堂が鼻をこすりながらいった。

「それはともかく、これで橋本が最近高速道路を利用したことが明らかになったわけだ。いや、橋本本人が運転していたとは限らないが」

佐山が独り言の口調でしゃべっていると、

「おい、何を考えているんだ?」

と横から谷口が声をかけてきた。「その紙切れが橋本の車から見つかったからといって、事件に関係しているとはいえんだろう。誰の車だって、ちょっと探せば領収書の一枚や二枚出てくるさ。それに、肝心の死体を運んだ形跡は見つからなかったんだろう?」

だが佐山は谷口の前に立ち、いい返した。

「お言葉ですが、橋本の車からこういう紙屑が見つかったという事実を、見逃すわけにはいきませんね。これは橋本が住んでいたマンションの住人からも確認したことですが、奴は一週間か二週間に一度は必ず車を洗っていたそうです。その時におそらく内部の清掃も行なっていたと考えられます。そうするとこの紙切れが落とされたのは、それほど前ではないと考えるのが妥当ではないですかね」

「それほど前ではないかもしれんが、仁科直樹が殺された日とはかぎらんぞ」

「殺された日ではないとも限りませんよ」

谷口は数秒間、佐山を睨みつけると、そばにいた若手刑事に道路地図帳を持ってくるよう指示した。そしてそれを手にすると後の方のページを開き、佐山の前に差し出した。高速国道通行料金表という見出しがついている。

「東京大阪間の料金はいくらだ？」と谷口は訊いた。

佐山は表で調べてから、

「一万円ちょうどですね」

と答えた。答えながら谷口のいいたいことがわかった。

「そうだろう。しかしその紙切れには千百五十円と書いてある。つまり東京大阪間を走った時の領収書ではない」

「ストレートに走ったとは限りませんよ。どこか途中のインターチェンジで一旦出て、また高速に乗ったとも考えられます」

「何のためにそんなことをするんだ？」

「それはわかりませんよ。もしかしたら、そこに何かの秘密が隠されているのかもしれない。それともう一つ、俺としては、領収書が細かく破られていたという点にも注目したいですね。捨てるなら、丸めてポイで済むはずです。細かく破ったというところに、この領収書を処分しなければならないという意思を感じるんです」

佐山の口調に押されたのか、谷口は少しの間黙っていたが、やがて口元を緩《ゆる》めると諦めたような顔をした。

「どうにもこじつけ臭いが、調べてみないことには納得しないようだな」

「いつもの癖ですよ」

「結構な癖だ。まずはどうするつもりだ？」

「この領収書が、どこの区間で使われたかを調べたいですね」

「千百五十円の区間か。それが何かの鍵であればいいがな」

そういうと谷口は高速道路の料金表を、ぐいと佐山の方に押した。

6

「弓絵ちゃんからの誘いなんて初めてだから、もしかしたらいい返事でも聞かせてくれるのかと期待したんだけど、どうやらそうじゃなさそうだね」

フォークをステーキに突き刺した手を途中で止めると、酒井悟郎はいった。それで弓絵が彼

の顔を見ると、彼はかすかに笑ってから肉片を口に運んだ。そして、

「いいんだよ、気にしないで」

と明るい声で続けた。「嫌なら嫌だっていってくれていいんだ。俺なんて振られることに馴れてるしさ、一回ぐらい失恋のキャリアが増えたってどうってことないんだから。弓絵ちゃんが気を遣う必要はないよ」

「えっ」と弓絵は聞き直した。その後で、彼が何のことをいっているのかを理解した。彼女は少し表情を和ませて、

「ああ、違うの。今日誘ったのは、返事をいうためじゃないの。あのことは、まだもう少し待ってくれない？」

今度は悟郎が、「えっ」と漏らす番だった。それから彼女のいった意味を理解したのか、にこやかに白い歯を見せた。

「そうか、そういう話じゃなかったのか。うん、もちろんいくらでも待つよ」

だけど、と彼は弓絵の顔を覗きこんだ。「今日の弓絵ちゃん、少しようすが変だぜ。あまりしゃべらないしさ、食欲もないみたいだし。会社で何かあったのかい？」

「うん、そういうわけじゃないんだけれど……」

弓絵はステーキを半分以上残したままフォークとナイフを置いた。食欲がないのは事実だった。昔から悩みごとがある時には、すぐに胃袋に影響するたちなのだ。

悟郎に相談しようと決めたのは、今日帰りの支度をしている時だった。悟郎の職場に電話し

て、今夜会えないかと訊いたのだ。残業の予定だったけど何とかするよ、と彼は弾んだ声で答えた。七時に喫茶店で待ち合わせた後、何度か入ったことのある、このステーキハウスにやって来た。価格と量の多さが魅力の店で、家族連れの姿が目立つ。

「事件のことかい」

声をひそめて悟郎が訊いてきた。「また新たに人が殺されたみたいだけど、そのことで何かあったの？」

弓絵は黙ったままうつむいていたが、やがて決心すると傍らの紙袋を引き寄せた。そしてその中から、一冊のファイルを取り出した。

「これを見てほしいの」

テーブル越しに悟郎の方に差し出した。彼はフォークとナイフを置くと、その手をナプキンで拭き、不審そうな顔でファイルを受け取った。

「四十九年度業務計画……何だいこれ？」

「とにかく中を見て」

悟郎は頷いて表紙をめくった。最初は不思議そうな表情。それがみるみるうちに緊張したものに変わっていった。このファイルを見つけた時、自分もこういう顔をしていたのだろうと弓絵は思った。

「弓絵ちゃん、これ……」

悟郎は顔を上げた。少し青ざめている。

「今日、室長さんのキャビネットを整理していて、偶然見つけたの。驚いちゃった。ねえ悟郎ちゃん、どういうことだと思う？」

彼はもう一度ファイルをぱらぱらとめくってから、

「わからない」

と首をふった。「でも考えてみたら、それほど変でもないのかもしれない。仁科さんの立場として、こういうものも保存しておく必要があったんじゃないかな」

「四十九年度業務計画なんて、架空のタイトルをつけて？」

弓絵がいうと、悟郎は黙った。

「おかしいと思うの。何かがあるような気がするのよ」

「弓絵ちゃん、このことを誰かに……たとえば刑事とかに話したのかい」

弓絵は首をふった。

「今日刑事さんが来たわ。その時に話そうかとも思ったけれど、やめたわ。この問題に関しては軽率なことをしたくなかったから」

「わかるよ」と悟郎はいった。

「で、どうするつもりなんだい？」

うん、と一度うつむいてから、再び彼の顔を見返した。

「あたし、室長さんがあたしを今の職場に呼んだことと関係があるような気がするの。それから、今度のいろいろな事件とも」

「殺人事件と？　まさか……」

悟郎は何度も瞬《まばた》きし、唇を舐めた。

「あたしだって根拠があるわけではないの。でもそんな気がして仕方がないのよ。ねえ悟郎ちゃん、あたしに協力してくれる？」

「もちろん何でも協力するけどさ」

「あたし、自分の力で少し調べてみようと思うの。何がどう繋がっているのか見当もつかないのだけれど、とりあえずやれるだけのことはやってみたい」

そして弓絵は悟郎にいった。「そうしないと、悟郎ちゃんへの返事もできないのよ」

悟郎はじっと彼女の目を見つめてから、

「そうかもな」

と呟いた。

7

十五分前には店に入って、窓際の席につく。コーヒーを注文すると、後は窓に顔を近づけて下の道路から目を離さない。

これが星子と会う約束をした時の鉄則だった。

「今夜つき合いなさい」

今朝の電話で、星子はまずこういった。「七時にいつもの店の前。いいわね」

有無をいわせないのだ。拓也は了解してから、今夜何かあるのですかと尋ねた。

「引っ越しよ」と彼女は答えた。

「引っ越し？」

「広い部屋に移ることにしたのよ。死んだ人のために、部屋をひとつ無駄にしておくなんてもったいないでしょ」

「ははあ、なるほど」

要するに星子が今の部屋から直樹の部屋に移るということらしい。そして拓也にそれを手伝えといっているのだ。

「今夜の用はそれだけですか」

「そうよ。それだけじゃ不満だっていうの」

星子の声がとがった。扱いにくい女だ。

「いえ、そうじゃなくて、橋本の死に関連した話でもあるのかと思って」

「橋本さんね……彼、死んだらしいわね」

さすがの彼女も少し声が沈んだ。

「殺されたということです。新聞をお読みになりましたか」

「読んだわ。でもどうしてあたしが彼の死と関係しているわけ？」

「いや、別に理由はありません」

「理由もないのに、変なこといわないでよ。七時よ。遅れないでね」

そうして一方的に電話が切れたのだった。

理由がなかったわけではない、と拓也は運ばれてきたコーヒーをブラックのままで飲みながら思った。星子にしても、直樹を邪魔者にしていた一人ではないか。直樹を殺す動機はある。ただし宗方と同様に、橋本にまで手を出す理由は見当たらないのだが。

コーヒーを半分ほど飲んだ時、窓の下に白いポルシェの止まるのが見えた。拓也はコーヒーカップを乱暴に置くと、レシートを持ってレジカウンターに急いだ。財布を開け、一万円札しかないことに気づいて舌打ちした。つり銭がいらないようにコーヒー代を用意しておくのも鉄則のひとつだ。

レジ係がもたもたしている。たぶんアルバイトの女子高生だろう。不器用な手つきで差し出したつり銭を摑みとり、そのままポケットにねじこみながら店を出た。

ポルシェの運転席では、星子がハンドルを指先で叩きながら待っていた。拓也は手を上げると、反対側のドアから乗りこんだ。

「レジ係が手間取りましてね」

拓也は言い訳したが、星子は何もいわずに車を発進させた。デジタル・ウォッチはまだ七時を示していない。それでも彼女は三分以上は待たないはずだった。そういうことがわからなかった頃、喫茶店のトイレに入っている間に、さっさと帰られてしまったことがある。約束の時刻よりも五分近く早かったにもかかわらずだ。だから彼女と待ち合わせた時、喫茶店の窓から目を離すわけにはいかないのだ。

「橋本さんのことだけど」

走りだして少ししてから星子がいった。「犯行に使われたっていう万年筆を、新聞の写真で見たわ」

「S社製でしたね」

拓也がいうと、星子はふんと鼻を鳴らした。

「うちの父があんな国産の安物を、たとえ平社員にだって送るはずがないじゃない。ちょっと考えれば不審に思うはずなのに、橋本さんにはあれが高級品に見えたのかしら」

「そうじゃないですか」

自分たちにとっては高級品だと拓也は内心毒づいた。自分もあの手に引っ掛かって、あわや殺されるところだったのだ。

「だから犯人にしても、それほど頭はよくないわ。あたしだったら、殺されなかったはずだもの」

「そうでしょうね」

答えながら、やはり星子が怪しいというのは考えすぎかなと拓也は思った。

仁科家に行くと、引っ越し業者のトラックが帰っていくところだった。星子の話によると、狛江のマンションから直樹の荷物を運んできて、裏の納戸に入れたらしい。

「マンションを引きはらったついでに、こっちの部屋の方も片付けようというわけよ」

星子の後について拓也は屋敷に入っていった。この家の長女、つまり現在は宗方伸一の妻である沙織も来ていて、手伝いの女性二人に荷物の整理を指示していた。星子とは違って、線が細くおとなしい感じがする。顔だちも日本的だ。拓也が上着のボタンを留め直して挨拶すると、「何もあわてて部屋の引っ越しなんかしなくてもっていったんですけど、この子がきかないものですから。ごめんなさいね」

申し訳なさそうな顔をした。すると星子は、

「本当はあの人が狛江のマンションに移った時に、部屋の荷物なんか全部片付けてしまえばよかったのよ」と険しい顔でいった。「それなのに、パパとかお姉さんが甘い顔をするものだから」

そして彼女は拓也の手を引くと、「さあ、行きましょう」といって階段に向かった。

直樹には、南側の十二畳の洋間が与えられていた。えんじ色の絨毯《じゆうたん》を敷きつめてある。入ったところには簡単な応接セットがあり、窓際にはベッドと机が置かれていた。そのほかには大きなスピーカーを含めたオーディオ・ビジュアル・セット、びっしりと専門書を並べた本棚など。サイドボードにはバランタインの十七年ものが入っている。窓にかかっているカーテンは、絨毯と同系列の色だ。

「いい部屋ですね」と拓也はいった。「窓のすぐ外には林が見えるし、まるで日本じゃないみたいですよ」

「本当はあたしか沙織姉さんのどちらかが、この部屋をもらうはずだったのよ。ここに友達を呼んでお誕生日パーティをしたら最高だっただろうなあって、今でも思うことがあるわ。でもあ

る時突然この部屋は、会ったこともない不潔な男にとられてたわ。で、あたしの部屋は和室の八畳間。ベッドを置いても、ピンクのカーテンをかけても、ちっとも似合わない八畳間。こんな話ってあると思う?」

拓也はうんざりしていた。和室の八畳間のどこが気にいらないのか理解できなかった。

「とにかく……だから部屋を移りたいということですね」

「本当は部屋だけの問題じゃないのよ。これは単なる象徴よ」

星子は一人納得していた。

拓也は窓際の机に近づくと、その上に立ててあった小さな写真入れを取りあげた。三十半ばぐらいの女性と、小学生ぐらいの男の子が写っている。

「仁科室長の子供の頃の写真ですね。隣りの女性はお母さんかな」

だが星子は答えずに、拓也の手から写真入れを取り上げた。そしてそばの段ボール箱にほうりこむと、

「時間がないから仕事にかかってちょうだい。まずはこのガラクタの入った段ボールを捨ててくるのよ」

といって、箱の中にさらに古雑誌などを投げ入れた。

段ボール箱の処分の次に拓也が命じられたのは、本棚に入っている大量の書物を納戸に運び入れることだった。何冊かをまとめて紐でしばり、両手に持てるだけ持って運ぶわけだ。大学時代に経験したアルバイトのことを、拓也は思いだした。

本棚やサイドボード、AV機器などは、自分がそのまま使うつもりだと星子はいったが、ベッドについて訊くと途端に顔を険しくした。

「冗談じゃないわよ。どうしてあたしがあの人のベッドで寝なきゃいけないのよ」

「でも机はお使いになるんでしょう？」

「それとこれとは別よ」

星子は厳しくいい放つと、部屋を出ていった。

女は難しいな――そう呟くと、拓也は本を紐で縛る作業を続けながら改めて室内を見回した。そしてため息をついた。

やはり人間というのは不公平に出来ている、と思った。これだけの屋敷に、これだけの部屋を与えられて直樹は育った。ここに来たのは十五の時らしいが、別に直樹が特別な努力をしたわけではない。単に仁科家の血をひいていたというだけのことだ。それに比べて自分はどうだ。飲んだくれの、どうしようもない男の子供として生まれてきた。そのためにあらゆる欲望を抑えなければならなかった。駄菓子屋に入ったこともない、プラモデルを買ったこともなかった。

この部屋にいつか俺が入ってやろうと、拓也はまた新たな決意を固めた。星子をものにすれば、それも可能なのだ。

書物の整理はだいたい片付いたと思ったが、机の下にもまだ何冊か残っているのを見つけた。拓也は機械的に作業を進めていたが、何気なく中の一冊の題名に目を向けて手を止めた。

トランプ・マジック入門、とある。

彼は今自分が紐で縛った本をもう一度見直した。トランプ手品の本に類するものが、六冊あった。

どういうことだ？

拓也が散らばった本に目を落として呆然としていると、そこに星子が入ってきた。どうかしたの、と尋ねてくる。拓也は彼女を見上げ、トランプ手品の本がたくさん出てきたことを話した。

「それはそうかもね」と彼女は何でもないことのようにいった。「だってあの人はトランプ手品に凝ってたみたいだもの。人にカードをひかせて、その数字を当てたりして喜んでたわ」

「得意だったんですか？」

拓也は訊いた。少し声が震えた。

「そうだったみたいよ。あたしは付き合ったことがないんでよく知らないけれど」

星子は面白くもないという顔をした。

8

関ケ原《せきがはら》・小牧《こまき》、岐阜羽島《ぎふはしま》・名古屋、豊田・豊川、岡崎《おかざき》・三ケ日《みつかび》、大井松田《おおいまつだ》・横浜《よこはま》、そして厚木・東京。

以上が東名《とうめい》・名神《めいしん》高速道路での、千百五十円の区間である。

厚木・東京間……か――。

佐山はこの区間が気にかかった。それ以外の区間、たとえば関ヶ原・小牧間の領収書を得るには、高速道路を途中で二回出なければならない。しかしこの区間だと、東京は終点だから厚木で一回降りるだけだ。

犯人は死体を大阪から東京まで運ぶ途中、一旦厚木で高速を出たということか。なぜそんなことをする必要があったのか——。

もしかすると事故でもあって渋滞したため、途中で高速道路を降りて下の一般国道二四六号線あたりを使って厚木まで行き、そこから改めて東名高速に入ったのかもしれない。夜でも御殿場《ごてんば》から都夫良野《つぶらの》トンネルのあたりは、きわめて事故が多いのだ。

佐山は日本道路公団に問い合わせてみた。

しかし返ってきた答えは、当夜の東名高速道路は平穏で、事故はなかったというものだった。大阪から東京まで走った人がいれば、じつにスムーズに走れて気分が良かったのではないかという。

「ということは、厚木で一旦出るのは犯人の最初からの予定だったということか」

独り言をいいながら佐山は道路地図の方に目を落とした。厚木インターチェンジの周辺を見てみる。しかし特に何もない。

時計を見ると、もう午後十一時近い。両手を上に伸ばし、深呼吸していると、

「苦戦しているようですね」

後ろから声がした。新堂が帰ってきたのだ。彼は荻窪署に行っていたはずだった。

「遅かったじゃないか。向こうじゃ何か摑めたかい？」

だが新堂は佐山の前に座ると、下唇を突きだして首をふった。

「小包は調布局の消印になっていましたが、担当者は全く犯人のことを覚えていないんですよ。もう数日が経っていますし、何しろ大勢の客と接するわけですから、無理もありませんが」

「間に土曜と日曜があったし、死体の発見も遅れたからな。犯人がツイていたということかもしれんな」

「犯人のツキはそれだけじゃないですよ。万年筆を包んであった東友デパートにも当たったそうですが、店員の誰ひとりとして、問題の品を買った客のことを覚えていないらしいんです」

「本当か？　しかし小包とは違って、万年筆なんてものを買う客が、店員が全く覚えていないほど多いとは思えないがな」

「おっしゃる通り、それほど売れる品物ではないですね。でも、だからこそ忘れてしまっているんですよ。たとえば渋谷の東友デパートで問題の万年筆が売れたのは、二週間も前なんだそうです。これは伝票に記録が残っているわけですから、間違いありません。ほかの支店も当たったそうですが、どこも皆それ以前でした。そういう事情で、店員の記憶が薄れていても不思議ではないんですよ」

「すると犯人は二週間も前から準備していたということか？」

「そうなりますね。仁科直樹が殺される前、ですか」

「おかしいな」

「その時点で青酸ガスによる犯行を準備していたのなら、まず仁科直樹をその手で殺すのが普通じゃないか」

「おかしいですね」

「そう思いますね。それとも直樹と橋本を殺した犯人は別人なのか？」

「いや、同一だと思う。橋本は直樹殺しについていて何か関わっていて、それで殺されたんじゃないかな。そしてそれは犯人の最初からの予定だったということなのか……」

わからないな、と佐山は頭を掻きむしった。どうもあまりすっきりしない。何かがズレているのだ。

「佐山さん」と新堂が改まった声を出した。「俺、仁科直樹の実家に行ってみようかと思っているんですがね」

「実家？」

「という言い方は変ですけどね、直樹が十五で仁科家に引き取られるまで住んでいた家ですよ。母方の実家です」

「ふうん。どこなんだ？」

「愛知県の豊橋ですよ。母親の兄弟も、あのあたりに住んでいるはずです。俺はね、直樹のことをもう少し知りたいと思うんですよ。仁科家の人間からでは、どうも本質的なことはわからないような気がして」

その点は佐山も同感だった。

「いいんじゃないか、谷口さん次第だが」

「そこなんですけど、佐山さんの方からキャップに話していただけませんか。キャップは佐山さんのいうことなら、聞いてくれると思うんです」

「そんなことはないが、まあ話してみよう。何か突破口が欲しいところだしな」

そういって佐山は道路地図の方に意識を戻した。突破口が欲しいのは、こちらも同様だ。直樹が殺された動機にも興味はあるが、まずはこれを解決したい。

「例の領収書に、うまい説明をつけられませんか」

新堂も反対側から覗きこんで訊いてきた。

「難しいな。あの領収書は絶対に事件に関係していると思うんだが、どうもよくわからない。今のところ、厚木・東京間を走った時のものだと考えてはいるんだ」

その考えに至った理由を彼は話した。その説明に新堂は耳を傾けていたが、

「いや、必ずしも厚木・東京間の可能性が高いとはいえないんじゃないですか」

と疑問を口にした。

「なぜだ？ 他の区間なら二度高速道路を降りたことになるぞ」

「それはわかりますが、死体の発見された場所が気になるんですよ。直樹のマンションだったでしょ。つまり狛江だ」

「それはわかっている。それがどうかしたか？」

「狛江なら、東京で出るよりも、東名川崎《とうめいかわさき》で降りた方が早いんじゃないですか」

そういって新堂はその付近の道路地図を開いたが、それを見て佐山はあっと声を上げた。なるほどその通りだ。高速を降りて狛江に向かうなら、川崎で出た方が近い。

「うっかりしていたな」

佐山は思わず呟いた。

「それとも犯人もうっかりしていたんですかね」

新堂の言葉に、いや、と首をふった。

「周到に計画を立てた犯人が、わざわざ遠回りするとは思えない。おまえのいうとおり、出るなら川崎だ。じゃああの領収書は、どこからどこまで走った時のものなんだ?」

9

直樹の部屋の片付けが終わったのは十二時前だった。食事を用意してもらったし、シャワーも浴びさせてもらえたのだが、自分の部屋の前に辿り着いた時にはさすがに疲れを自覚した。わがままで高慢なお嬢様の機嫌をとるのも大変だ。

拓也は鍵を取り出すと、ドアの鍵穴に差し込んで回した。ここまでは無意識の行動だ。だがノブを引くと同時に、自分が今危険な立場にいることを思いだした。

ドアを少し開け、臭いをかいでみる。ガスの臭いはなかった。彼は腕を伸ばして灯りのスイッチを入れた。見たところ誰もいない。それでようやく彼は室内に入った。ドアを閉めると鍵をかけ、ドア・チェーンもする。それから傘を一本抜きとると、右手に構えて靴を脱いだ。

窓の鍵はかかっている。隣りの部屋、風呂場、トイレ、押入れの中と点検していく。誰も隠れていないとわかって、ようやく傘を元の場所に戻した。

郵便受けをチェック。今日は何も届いていない。続いて冷蔵庫の中。缶詰や真空パックになったものは問題ない。毒を仕掛けるとすれば、マーガリンや開封した紙パックの牛乳などだ。そういうものは、とりあえず全部捨てた方がいいなと拓也は思った。こんな気分では、どうせ口に入れる気にならない。

誰も部屋に入った形跡がないことを確認すると、ここで初めて彼はダイニングの椅子に腰を下ろした。ネクタイを緩《ゆる》め、靴下を脱ぎ捨てる。

参ったね、と彼は深い吐息をついた。毎日こんなことをしなければならないのでは、たまったものではない。

とにかく一つずつ片付けていくことだと思った。それしか生き残る道はないのだ。この場合、生き残るという言葉は単なる比喩《ひゆ》に留《とど》まらない。

とりあえず康子だ――。

拓也は立ち上がると、机の上に置いてあった万年筆を取りあげた。例の青酸ガスを発生する恐ろしい贈り物だ。

これをこのまま使ってもだめだった。康子が橋本を殺した犯人なら無論のこと、そうでなくても、この凶器で橋本が殺されたことは知っているだろう。

しかしこの中に仕込まれている青酸カリは、捨てがたい代物だった。これを康子に飲ませて殺す。自殺に見せかけて、だ。同じ毒を使っていることから、橋本を殺した犯人が自殺したものと警察は判断するだろう。

問題は飲ませる方法だった。二人きりになったところで、ジュースか何かに混ぜて飲ませられればいいが、そういうチャンスはありそうにない。それに何より、もしかしたら康子が一連の事件の犯人で、彼女の方も拓也を殺そうと考えているかもしれないのだ。

康子の前に姿を見せず、康子に毒を飲ませる方法——それを考える必要があった。

拓也は万年筆を元に戻すと、棚からグラスとシーバス・リーガルの瓶を取り出した。そしてグラスに三センチほど琥珀《こはく》色の液体を注ぐと、それを持ってベッドに腰かけた。一口飲んでから、自分が非常に無警戒なことをしたことに気づいた。シーバスの瓶は開封済みだから毒を混入することは可能だし、グラスの内側に塗りつけておくことだってできるのだ。

拓也はグラスを持ったまま、一分ほどそのままの姿勢でいた。苦痛が襲ってくるかどうかを確かめたのだ。だが腋の下に汗がたらりと流れた以外は、何の変化もなかった。ほっとひと息ついてから、再びグラスを傾ける。

奇妙な話だった。人殺しをやろうとしている拓也が、逆に命を狙われている。そういえば今度の事件は最初からそうだったと彼は思い当たった。康子を殺そうとした直樹が、逆に殺された。

それにしても、奴はいったいどういうつもりだったんだ?

拓也は直樹の部屋で見つけたトランプ手品の本のことを思いだす。じつのところ、あの手品の本を見つけてからというもの、彼の頭の中はそのことが引っ掛かり続けている。

　トランプと聞いて思いだすのは、直樹が康子を殺す計画を拓也たちに持ちかけた時のことだ。殺害計画はＡ・Ｂ・Ｃという三つの役どころに分けられていた。実際に手を下すのはＡの仕事。この役は誰だってやりたくないはずだった。

　だからトランプ・カードで決めた。何度もシャッフルし、各自が一枚ずつ引いたのだ。そして大きな数字を引いたものから希望の役を選ぶことになった。

　ここでまず最初の疑いが生じる。役を決めるのに、なぜ直樹はトランプ・カードを使うことを思いついたのか。あの時拓也は、気障《きざ》なことをするものだと思ったのだが、本当は特別な理由があったのではないか。つまりカード・マジックを得意とする直樹が、そのテクニックを発揮できるという理由が。

　だが仮にそうだとすると、直樹は自分にはＡが当たらないように仕掛けるはずだ。しかし実際は違った。キングを引いた拓也がＢをとり、4だった橋本がＣを選んだのだ。つまりＡをとらなければならなくなったのは、2をひいた直樹だった。

　考えられることは一つだ。直樹は、最初から自分がＡの役を取るつもりだった。そしてそのためにトランプでクジ引きを行なったのだ。

　Ａというのは直接康子を殺す役だ。なぜ彼はその役を希望したのか。自分の手で殺したいと思ったのか。いやそんなことはあるまいと、拓也は即座に否定した。仁科直樹はそういう男ではない。それにそういう希望があるなら、正直にいえばいいのだ。トランプ手品など使わなくても、人殺しの役などいくらでも譲ってやる。

「いったい何をするつもりだったんだ」

拓也は呟いた。康子殺しに関して仁科直樹は、間違いなく拓也たちに隠していることがあったのだ。

そのために彼は殺された。

そしておそらくそのために橋本は殺され、今また拓也の命も狙われている。

第四章　殺しのリプレイ

1

十一月二十日、金曜日。

作業をひと休みして、佐山は目頭のあたりをマッサージした。細かい文字を長時間読み続けるのは、あまり得意ではない。さらに欠伸《あくび》をひとつして、皆の様子に目を向けた。

捜査本部に、そろそろ焦りの色が出る頃だった。

仁科直樹殺し同様、橋本が殺された事件の方も、捜査の進行ははかばかしくないのだ。たとえば万年筆を小包にして送った時間帯のアリバイを、関係者たちに当たってはいる。しかしちょうど直樹の葬儀を終えて会社に戻る頃なので、その気になれば誰にでも可能だといえるのだ。おそらく犯人もそのあたりのことを計算して、会社の近くの郵便局を利用したのだろう。

ただ万年筆の入手先については、東友デパートを当たっていた捜査員が、興味深い情報を得ていた。彼は橋本の部屋で見つかった包装紙を持って各デパートの万年筆売場を訪れ、その包み方から、どこで買われたものか特定しようとしたのだ。その結果、じつに意外なことが判明した。デパートの店員たちは、揃ってこう答えたというのだ。

「あたしなら、こんなに下手な包み方はしません」

これはいったいどういうことを意味するのか。考えられることは、犯人は別の店で万年筆を購入し、あらかじめ用意してあった東友デパートの包装紙で包み直したということである。もちろん警察の目を幻惑するのが目的だろう。そしてその仕掛けは、ある程度成功したといえるのだ。

とにかくこの事実により、万年筆の入手先をつきとめるには、さらに範囲を広げる必要が生じた。捜査員の数も増やされて、連日聞き込みに回っている。しかし現在のところ、有力な情報は入ってこなかった。

青酸カリの入手先については、だいたい見当がついていた。MM重工熱処理工場の倉庫に、かなりの量の青酸カリが保管されていたのだ。部外者は無論立入禁止である。しかし社の制服や作業服を着ていた場合、誰かに見咎《みとが》められることはないだろうということだった。とはいえ劇薬であるから、鍵のかかる保管庫に入れられてはいる。問題はその鍵のありかだ。倉庫番の机の引出しに入っているのだが、事情を知っている者なら簡単に持ち出せる。要するにこれで犯人が社内の人間である可能性が、さらに強くなったわけだ。

網は確実に狭められている。しかし決め手がない――。

佐山は会議机の隅を使って、MM重工にある橋本敦司の机の中から拝借してきた、打ち合わせ用ノートや個人メモなどに目を通していた。それらのものの中には社外秘の内容もあるかもしれないということで、一応橋本の上司にチェックを受けているが、幸い問題になるような部分はないようだ。が、もちろんマスコミなどには公表しないよう釘を刺されている。

「どうですか、何か見つかりましたか」

狛江署の刑事が湯のみに茶を入れて持ってきてくれた。中年の気のいい男だ。佐山は礼をいって湯のみを取りながら、「だめですね」と疲れた笑顔を見せた。

「仁科直樹と結びつくようなことが少しぐらいはあるんじゃないかと思いましたが、調べたかぎりでは全然です。研究開発一課と開発企画部という、部署同士の繋がりはあるんですがね」

「仁科は企画室長といっても飾りもので、実際に業務にタッチすることは殆どないということでしたからねえ」

相手の刑事も今ひとつ元気がなかった。

その時近くの電話が鳴った。佐山が手を伸ばしかけたが、向かいの刑事がそれを制して先に受話器を上げた。

「俺だよ……ああ、あのことか。やっぱり何も出てこないか。うん……そうか残念だな。どうもごくろうさん」

彼の声に勢いがなくなっていく。何も出てこない、残念だな——このところこういう報告ばかりだ。

「じゃあそのブツを持って、今すぐに帰ってきてくれ。えっ？　どこに行くんだ？……ああ、そうか。困ったな、今欲しいんだが」

彼は腕時計を見た。「よし、じゃあ俺が途中まで取りに行くよ。駅がいいな。おまえはそこから次の聞き込みに行ってくれ。五時か、オーケー」

直樹の死体から少し離れたところに落ちていた、茶色のボタンについて調べている捜査員からの連絡らしい。事件に関係しているのかどうかもわからない地道な作業だが、手を抜くわけにもいかないのだ。

佐山の向かいの刑事は、受話器を置くと上着を持って出て行った。

途中まで取りにいく……か――。

何気ない言葉だ。ふだんの会話に何度でも出てくる。しかしこの時にかぎりこの台詞《せりふ》は、佐山の頭のどこかに引っ掛かった。途中まで……取りに行く……。

ふいに彼の頭の中で閃《ひらめ》くことがあった。いや閃きというほど大したものでもない。見落としていたことに気づいただけだ。

彼はこのところ常に離さずにいる道路地図帳を持って、谷口のところまで大股で歩いていった。

「キャップ、橋本の車はやはり厚木で降りたんじゃないでしょうか」

突然いわれて谷口は咄嗟《とっさ》には意味が把握できなかったようすだが、

「例の領収書のことか」と数秒ほどで理解した。

「疑問が解けたんです」

「あれに関しては行き詰まったんじゃなかったのか」

「諦めたわけじゃありませんよ。俺は、橋本の車が東名高速の上りを走った場合のことばかり考えていました。大阪で殺されて、東京まで運んでこられたので、そう決めつけてしまったんです。しかしそうとは限らない。あの領収書は、厚木から東京に行った時のものではなく、東京から厚木に行った時のものじゃないでしょうか」

谷口は佐山の顔を見直した。

「なぜそう思うんだ」

「共犯の可能性に思い当たったからです。まず実際に直樹を殺した犯人は、死体を厚木まで運ぶ。一方共犯者は東京を出て厚木に行き、死体を受け取ったら直樹のマンションに直行して死体を処分する。こうすれば双方に、不完全ながらもアリバイができます。殺し役には運ぶだけの時間がない、運び役には犯行時刻のアリバイがあるというわけです。簡単なトリックだ」

「死体のリレーということか」

「そうです。うまい言い方をされますね」

彼のおだてには耳を貸さず、谷口は低く唸《うな》りながら腕を組んだ。

「運び役は橋本だといいたいのか」

佐山は大きく頷いた。

「深夜に運ぶだけなら橋本にも可能だったはずです。会社に行って残業していても、充分に余裕がある」

「で、橋本は主犯格の人間に殺されたというわけか」

「おそらく」

谷口は腕組みをほどくと、両手を机の上に置いた。

「面白いな」

「面白い推理だとは思う。しかしそれだけだ。何か裏づけるものがあるか」

「今のところは何もありません」と佐山はいった。「ですが、否定する材料もないでしょう。あらゆる可能性を考えるべきです」

「いや、否定する材料がないわけでもないな」

谷口はじろりと佐山を見上げた。「仁科直樹の死亡推定時刻は、今月十日の午後六時から八時ということになっている。ということは、大阪で殺して厚木まで運んだ時点で深夜だ。そんな時間になってしまえば、そこで死体を共犯者に渡したところで大したアリバイ工作にもならんだろう。深夜の十二時まではアリバイがないが、それ以後ならアリバイがある、だから自分には死体を運ぶことができなかった、とでも主張している人間がいれば話は別だがな」

「残念ながらそういう人物はいませんね」

「なら諦めるんだな」

「しかし死体を直樹のマンションまでは運べないが、厚木までなら運べたという人間ならいるんじゃないでしょうか」

谷口は片方の眉を上げた。「誰だ?」

「たとえば」と佐山は少し考えて、「たとえば末永拓也です。彼は当日名古屋にいました。アリバイがないのは、夜の十時から朝の七時までの九時間です。この間に狛江のマンションまで死体を運び、また名古屋のホテルに戻るのは困難ですが、厚木までの往復なら楽にできます」

「末永か。なるほど奴には直樹を殺す動機はある」

谷口は右手の人差し指で、机をこつこつと叩いた。「だが肝心なことを忘れてやしないか。死亡推定時刻は六時から八時といっただろう。その間のアリバイがあるんじゃ、手の出しようがないぞ」

「忘れてやしませんよ。その間のアリバイも、もう一度洗ってみます」

「おい佐山、少しは頭を冷やせよ」と谷口は佐山の鼻先に人差し指を突きだした。「おまえは橋本の車にこだわっているようだが、あの車で死体を運んだという証拠はどこにもないんだ」

だが佐山はその手を払いのけた。

「鑑識からの報告をご覧になりましたか。橋本の車のトランクを調べた結果です」

「見たよ。毛髪その他、死体の一部から脱落したと思えるものは見つからなかった」

「青い羊毛繊維が多く見つかっています」

「羊でも積んでいたのかい」

「毛布ですよ」と佐山はいった。「青い毛布だ。それで死体をくるんであったんじゃないですか」

するとと谷口はしげしげと部下の顔を見て、あきれたように首をふった。

「よく考えつくものだな」

「死体が着ていた背広も調べてみればわかりますよ」

「青い羊がついているというんだな」

「羊毛です。とにかく——」と佐山は机に両手をついた。

「とにかく死体のリレーを考慮に入れて、もう一度各自のアリバイを調べなおしてみます」

谷口は大げさに顔をしかめると、うんざりしたようにいった。

「わかったよ、気が済むようにやるさ。死体の背広も調べなおさせよう」


だがこの佐山の推理も、間もなく停滞した。

死体リレーをしたと考えても、辻褄《つじつま》が合うアリバイを持った人間は、関係者の中には見当たらなかったのだ。

唯一可能性があるのは、やはり末永だが、彼のアリバイは完璧だった。名古屋の取引先の人間と、常に一緒にいたらしい。その裏づけ捜査をした報告書にも、非のうちどころがなかった。まるで疑われることを予期したように完璧だ、と佐山は思った。完璧すぎて怪しい。だがそう考えるのは、行き詰まった末の妄想かもしれないのだ。

もしかすると仁科直樹が殺されたのは大阪ではなく、末永のいた名古屋ではないかとも考えた。直樹は六時に新大阪近くのホテルに姿を見せている。しかし、だからといって大阪で殺されたとはかぎらないのだ。その後で彼は名古屋に向かったとする。何らかの理由で末永と会うためだ。そして末永によって殺された——たとえばこういう考え方だってできる。

だがどこで殺されたにせよ、死亡推定時刻は動かせない。最後に直樹が食事をした場所と時刻、その時に食べたものが明らかになっていて、そのおかげでかなり正確に割り出せている。直樹が殺されたのは六時から八時、これは変わらない。

そしてその時刻、末永にはアリバイがある。

あるいは――。

佐山は自分の頭の中に、さらにもう一つの考えが芽生えてくるのを感じた。それならば理屈は通る。

いや、まさかな――。

彼はその考えを否定した。あまりにも現実離れしすぎていると思ったからだった。

2

午後になると、拓也は試作工場に出かけた。製品化が決定する前の、研究過程にある試作品を製造するための工場だ。量産するだけの能力はないが、技術部からの様々な指示に応じて、臨機応変にどんな製品でも作りあげるだけの設備は整っている。

工場を入ってすぐ左に、間仕切りされた部屋がある。透明アクリルの窓の向こうに、忙しそうに動き回る試作部員たちの姿が見えた。

拓也は部屋に入ると、片平《かたひら》の太った身体を探した。何度も一緒に仕事をしている男で、試作部では一番気心が知れている。

片平は自分の席で電話をしているところだった。拓也が笑顔で近づいていくと、片平も受話器を持ったまま頭を下げた。

彼の電話はすぐに終わった。

「ステンレスの板材をほしいんだ。厚みは一・五」と拓也はいった。

「材質は？　ＳＵＳ３０４でいいですか」

「充分だよ。少しでいいんだ」

片平は帽子をかぶると、椅子から立ち上がった。

材料置き場に行く途中、事件のことを片平が尋ねてきた。

「研究開発の方じゃ大変でしょう。毎日刑事が来てるって話じゃないですか」

「毎日ってこともないけどね、あまりいい気はしないよ」

「いい気はしないだろうなあ。この会社でこんなことが起きるなんて、夢にも思いませんでしたからね」

材料置き場に着くと、片平は一メートル四方もあるステンレス板を引っ張り出してきた。拓也は驚いて、そんなにいらない、五センチ角ぐらいでいいんだといった。

「何だそれなら廃材の方にありますよ」

そういって片平は廃材置き場に入っていくと、ちょうどいい大きさの板を持って戻ってきた。

「これでいいですか」

「充分だよ。ところでちょっと複雑な形に切ろうと思っているんだけど、ワイヤカット機を借りられるかな」

「ワイヤカット？　レーザー切断した方が早いですよ」

「いや、精度がほしいし、仕上げが面倒だからね」

片平は頷くと、また先に立って歩きだした。今度着いたのは型加工係だった。プレス用の型などを作っている。片平は班長に話をつけて、拓也の希望が叶《かな》うようにしてくれた。

「一体何を作るんですか、いってくれれば作ってあげますよ」

「いや、手をわずらわせるほどのことじゃないんだよ。自分でやった方が早いしね」

「新製品の部品ですか」

「そんなにいいものじゃないよ」

まあ頑張って、と片平は去っていった。

彼の姿が見えなくなると、拓也は作業にかかりだした。ワイヤカット機というのは、直径〇・三ミリほどの真鍮《しんちゅう》ワイヤが、水の中で放電を起こしながら材料を切断していく装置である。金属なら何でも切れるし、ミクロン単位の精度も出せる。切断形状も、コンピューター制御《せいぎょ》により自由自在だ。

ワイヤがステンレス板を切っていく。そのようすを眺めながら、拓也は計画を頭の中で整理していた。康子を殺す計画だ。この二、三日、さんざん考えたのだ。その結果得られた結論は、危険を冒さずに康子を殺す方法はないということだった。いや、殺す方法はないわけではない。成功するかどうかは怪しいが、たとえばチョコレートに毒を入れて送るという手だってある。

差出人の名前は、彼女の友人にでもしておけばいい。しかしそういう方法だと、自殺に見せかけることは殆ど不可能だと断言できる。康子は自分の部屋で、安らかに死ななければならないのだ。死体のそばに食べかけの毒入りチョコレートが散らかっていたりしたら、まずいのだ。

今度の計画のヒントになったのは、昨日康子と仲の良い女子社員から聞いた話だった。彼女ら二人は明日の土曜夜、ミュージカルを観に行く約束をしているということだ。康子としてはこんな時期に観劇でもないはずだが、以前からの約束とあれば断わるわけにもいかないのだろう。

何時頃から始まるんだい、拓也は何気ないふりを装って尋ねた。七時から十時半よ、と彼女は嬉しそうにいった。

チャンスだった。これを逃す手はない。

危険を冒すしかないな、と拓也は思った。康子を殺そうとして、すでに一度危険を冒している。死体を運んだ時のことだ。あの時の覚悟を、もう一度すればいい。

殺しのリプレイ、というわけだ。

そして今度こそは成功させなければならなかった。どんなゲームマシンでも、チャンスを三度は与えてくれないのだ。

3

金曜日の終業前は、職場の全員がうきうきしている。最近は花モクというけれど、やはり週の終わりのこの時間が一番楽しいのだ。

やがて終業のチャイムが鳴りだした。机に向かっていた者は、やれやれという顔で後片付けを始めるし、得意先と電話で打ち合わせしている者は、なるべく早く切り上げようとする。若い社員などは片付けもそこそこに、飲みに行く仲間を集めている。

「中森さんも行かない？　たまにはさ」

弓絵が黒板の掃除をしていると、同じ職場の男子社員が誘ってきた。今までにも何度か声をかけられているが、行ったことはない。

「ごめんなさい。今日は約束があるから」

弓絵は頭を下げて謝った。

「それなら仕方がないな。約束って、彼氏かい？」

「ええ、まあ……」

「へえ、そんな人がいるなんて知らなかったな。今度問いつめるとしよう。じゃあ今日はこれで」

さようなら、といって彼女はその社員を見送った。

片付けを終えると、弓絵も着替えて会社を後にした。悟郎とは六時にいつもの喫茶店で待ち合わせている。

五分ほど早く着いたが、悟郎の姿がすでに壁際のテーブルにあった。ジーンズに、黒の皮ジャンを着ている。いつものスタイルだ。弓絵に気づくと、目尻に皺を寄せて手を上げた。

「何かわかった？——あたしもコーヒー」

椅子にかけると、悟郎に尋ねるのと同時に、注文を取りにきたウェイターにいった。悟郎はすでにコーヒーカップを前に置いている。

「残念ながら大した収穫はないよ。正直いってこういうのは調べるのが難しくてね」

悟郎は申し訳なさそうにいった。

「そう。やっぱりタブーみたいになってるの？」

「かもしれないね。あまりしつこくすると変な目で見られるしさ」

「ふうん……。じつをいうと、あたしの方もあまり進んでないの。人事部の方に友達がいるから、その子に協力してもらって今朝ちょっと調べてみたんだけど」

「何かわかったかい」と悟郎は訊いた。

弓絵は首をふった。

「開発企画室の方から、人事事務担当者を一人欲しいという要望が出されて、それで当時余裕のあった設計部から一人回すことになったたっていうことだけ」

「その一人っていうのが、弓絵ちゃんだったわけだ」

悟郎がいった時コーヒーが運ばれてきた。弓絵はミルクを入れてスプーンでかきまぜながら、

「でも、ひとつだけ面白い発見をしたわ」

と彼を見ていった。

「何だい？」

「悟郎ちゃんのことよ」

「俺のこと？　どうかしたのかい」

「うっかりしていたんだけど、あたしが配置転換された時に、悟郎ちゃんも職場を移ってるのよね。製造部から、今の実験部に」

「ああ」と彼は唐突なことをいわれたような顔で頷いた。「まあそうだよ。俺なんか入社以来ずっと同じところにいたから、そろそろ異動の時期だったわけだ」

「でも、それって偶然なのかしら？」

ええっ、と悟郎は眉間に皺を刻んだ。

「偶然じゃないような気がするのよ、あたし」

「そんな……考えすぎだよ」

「そうかしら」

弓絵はじっとコーヒーカップの中を見つめた。彼女が黙りこんでしまったので、悟郎もうつむいたままでいる。だがやがて、

「俺、弓絵ちゃんの気持ちはよくわかる」

彼の方から沈黙を破ってきた。「でも、考えすぎだよ。今度の事件は、弓絵ちゃんが思っているようなのとは何の関係もないよ。俺はそう思う」

そういったあと、彼はまたうつむいた。自分の意見を述べてみただけだ、という態度に受け取れた。

「わかってるの」と弓絵はいった。「あたしの想像にすぎないかもしれないってことは、とてもよくわかってるのよ。でもあと少し……あと少しだけ好きなようにやらせてほしいの。悟郎ちゃんが嫌だっていうなら――」

「そういう意味じゃないよ」

悟郎は少しうろたえたように目線を動かした。「嫌なわけじゃないよ。でも、これから何をするつもりだい？」

「うん、それはまだ決めてないんだけど……」

弓絵はまたコーヒーを含み、喫茶店の窓から少し遠くの景色に目をやった。そして続けた。

「末永さん――あの人のことを調べてみたいと思ってるのよ。室長さんが殺される前に、橋本さんとあの人を部屋に呼んだことが気になるから」

4

二十一日の土曜日は、朝から降りだした雨がそのまま夜まで続いた。拓也はマンションから少し離れたところにある電話ボックスの脇に車を止め、康子が帰ってくるはずの道に目を向けていた。マンションは五階建て、康子の部屋は四階の一番端だ。管理人などがいないことは確認済みだった。

デジタル・ウォッチの数字は十一時四十分。そろそろ帰ってくる頃だ。

本当は顔を合わせずに実行したかった。しかしいくら考えても、それは不可能だと思えた。

とにかく一度は彼女と会わなければならないのだ。

時計を見る。十一時四十二分。

その時前方に車のヘッドライトが見えた。ゆっくりとこちらに近づいてくる。タクシーだ。

タクシーはマンションの前で停車すると、後部左側のドアを開けた。車内灯がつき、客が金を渡しているのが見える。顔はわからない。

客が降りて、素早く傘をさした。間違いない、康子だった。黒っぽい上着を羽織っていて、片手に紙袋を下げている。彼女は拓也の方には気づかないようすで、マンションに向かって歩いていった。

拓也は荷物を持って車を降りた。電話ボックスに入る。そこから康子の部屋の窓が見える。彼は受話器を上げ、窓から目を離さないようにした。

やけに時間の流れが遅く感じる。四階だからエレベーターを使ったのだろうが、康子は今どのあたりを歩いているのだろう。

じわっと掌の中に汗が湧いた時、康子の部屋の窓に灯りがともった。濃い色のカーテンをかけているせいか、ぼんやりとした光だ。

拓也はテレフォンカードを挿入すると、気を落ち着かせながらプッシュボタンを押した。呼び出し音が三回、そのあとで康子の声が聞こえた。

「俺だ、末永だよ」と拓也はいった。受話器の向こうで息をのむ気配がある。

「何？　こんな時間に」

「子供のことで話がある。すぐ近くに来てるんだ。今から行ってもいいか」

少し間があく。康子がどんなふうに考えを巡らせているのか、残念ながらわからない。

「明日じゃだめなの」

「だめなんだ。だからずっと待っていた」

「……どういう話なの？」

「だから子供のことさ。子供と、俺たちの今後のことさ」

また沈黙。康子は、拓也が自分を殺そうとしたことを知っているかもしれない。もしそうなら当然警戒するだろう。しかしそれでも、拓也は何とか彼女の部屋に入らねばならなかった。

「それからもう一つ」と拓也は切り札を出すことにした。「橋本と仁科直樹のことだ」

「……何か知ってるの？」

この受け答えはどういうことだ、と拓也は素早く頭を働かせた。つまり彼女は何も知らないということか。いや、そうとも限らない。

「知ってるさ」と拓也はいった。「だからゆっくり話したいね」

また静かな時間が数秒流れ、ついに彼女はいった。

「いいわ。鍵をあけておくから入ってきて」

「ありがたいね」といって拓也は受話器を置いた。

人目につかぬよう気をつけながら拓也は部屋の前まで行くと、そっとドアのノブを握った。

指先を接着材で固めてあるので回しにくい。指紋をつけないための工夫だった。手袋なんかをしていたら、康子に怪しまれてしまう。

彼女がいったとおり鍵はかかっていなかった。中に入ると、壁際に座った康子が警戒するような目で彼を見ていた。

「やあ」と拓也はいった。「この部屋に来るのは久しぶりだよ。たしか二度目かな」

「三度目よ」

「そうだったかな」

「とにかく座れば」

康子は、ロー・テーブルを挟んで自分の向かいのソファを顎で差した。拓也は玄関に鍵をかけると靴を脱ぎ、彼女が指示した場所に腰を落ち着けた。

「何か手土産をと思ったんだけど、思いつかなくてさ。康子が好きなものをでたらめに買ってきた」

拓也はテーブルの上に白ワインの瓶と四角い箱を置いた。「まずワインで乾杯といこう。グラスを出してくれないか」

「何に乾杯するわけ?」

康子は白けた声を出した。「早く話をしてちょうだい」

「その前にリラックスしたいんだよ」

すぐ横にサイドボードがある。拓也は自分でそこからワイングラスを二つ出してきた。そしてコークスクリューで栓を抜くと、薄黄金色の液体をそれぞれに注いだ。

「じゃあ乾杯だ」

拓也はワイングラスを持った。だが康子の方は彼の本心を見抜こうとでもするような目をしているだけで、グラスに手を伸ばさない。

「どうした？」と彼は訊いた。

「アルコールは断《た》ってるのよ」と彼女は無表情で答えた。「おなかの子供に良くないでしょ」

「少しぐらいなら」

だが彼女は首をふると、

「あたし、さっきからあなたの話を待ってるのよ」といった。

それで拓也もワインには口をつけず、そのままグラスをテーブルに置いた。

「もう一度だけ訊くが、子供を堕ろす気はないんだな」

「ないわ」

「父親はもうこの世にいないのかもしれないんだぜ。橋本と仁科……」

そういって彼女の反応を見る。康子は一瞬だけ目を伏せた。

「知ってたの？」

「まあね。どっちかの子供だったらどうする？」

すると康子は肩をちょっとすくめ、鼻で笑った。

「あなたはそんなことを考えなくてもいいのよ。自分が父親だった時のことを考えていてくれれば」

読めないな、と拓也は苛立った。本心が読めない。

「殺された二人が両方とも康子の男だったことを警察が知ったら、どうなるだろうな」

「警察にしゃべるっていうの？　そんなことをしたら――」

康子の目が光った。

「わかってるよ。俺とのことだってしゃべるっていうんだろ。だから逆に心配なんだよ。おまえ、俺たちとのことがばれるようなものを持ってないだろうな。手帳に名前を書いてるとかさ」

「大丈夫よ、連絡はいつも社内電話を使ってたでしょ」

「それならいいんだが」と拓也は実際ほっとした。「それにしてもあの二人が殺されたと聞いた時、正直いって俺は康子のことを疑ったんだけどな」

「冗談いわないでよ」と彼女は強い口調でいった。「どうしてあたしがあの二人を殺す必要があるのよ。あの二人が、あたしを殺したいと思ったかもしれないけれど」

それは事実だぜ、といいたいのを我慢して、

「しかし仁科直樹が殺された日、会社を休んでただろう？　あれは単なる偶然だとでもいうのかい」といった。

すると康子は、はっとした顔をし、その後何か迷うように視線をせわしなく動かした。が、その目を拓也の顔に留めると、

「あの日ね、あたし仁科さんに、大阪に来るようにいわれたのよ」といった。

「室長に？　何の用だい」

驚いたふりをし、とぼけて尋ねた。直樹が彼女を呼んだ理由については、拓也は誰よりも知っている。

「はっきりとはわからない。重要な話があるから、来てほしいんだって。おなかの子供に関係することだっていってたわ。それであたし、休暇をとって大阪に行ったのよ」

「大阪のどこだい？」

「新大阪駅の地下に『びいどろ』という喫茶店があるから、五時にそこで待っててくれって」

そこで待ち合わせて、その後車に乗せて適当な殺害場所まで連れていくつもりだったらしい。しかし五時とは少し早い。直樹はどういうつもりだったのだろう。

「でも」と康子はいった。「彼は来なかったのよ。あたし、二時間も待っていたのに」

「ふうん……」

拓也は康子の顔を凝視した。嘘をついているのか、事実を述べているのか。しかしこの程度の芝居はこの女にとっては朝飯前なのかもしれない。

「そうしたら翌日、彼が殺されたって話。あたし、心臓が止まりそうなほど驚いたわ」

「心当たりは何もないのかい」

「ないわよ。で、その後橋本さんでしょ。何が何だかさっぱり」

「しかし共通点はある。順番からいったら、次は俺だ。それでまあ怖気《おじけ》づいてここへやって来たというわけさ。本当に犯人はおまえじゃないのか」

「だからあたしには動機がないでしょ」

康子は両腕を広げていった。拓也はじっと彼女の顔を見る。彼女の方も黙って見返してきた。

「まあ、いいか」と彼はいった。「どうやら真犯人を見つけるための相談をした方が良さそうだな。――ところでワインはどうだい？」

「いらないっていってるでしょ」

「毒でも入ってると思うのかい」

拓也がいうと、康子は一瞬瞼を大きく開き、それから何かに思い当たったような顔つきで二度三度と首を縦にふった。

「そうね、あなたがあたしを殺すってこともありうるんだ。仁科さんや橋本さんを殺す理由は思いつかないけれど」

「信用がないんだな。じゃあ、こちらはどうだい」

拓也はワインと一緒に持ってきた包みを開いた。和菓子の有名店の名前が印刷されている。康子はここの菓子、特にゼリーの中に梅がそのまま入っている菓子には目がない。

「ワインと和菓子とは妙な取り合わせね。怪しいわね、あなたがこんなものを買ってきてくれるなんて」

康子は探るような目をした。

「まだ疑うのか。じゃあどれか一つ選べよ。俺が先に食べるからさ」

拓也がいうと、八個並んだ中から康子は適当に選んで彼に渡した。拓也は包みを開くと、た

めらわずにかじりついた。それから彼女の顔を見て、

「お茶の一杯ぐらいは出すものだぜ」といった。

康子は彼を軽く睨んだあと、キッチンに立っていった。急須《きゅうす》と湯のみを用意しているのが見える。その後ろ姿に拓也は声をかけた。「会社を辞めてどうするんだ」

「どうもしないわよ。じっくり子供を産む準備をするだけよ。あなたには悪いけど」

「よくわからないな。俺がうまく仁科家の財産を手に入れたら、たっぷり養育費を取ろうって気なんだろうけれど、それじゃあ一生まともな結婚なんて出来ないぜ。それでもいいのか」

「結婚なんて興味ないのよ」

康子は湯のみに茶を入れて持ってきた。湯気がたっている。

「ふうん。――菓子を食えよ」

「今はいらないわ」と彼女はいった。

「まだ信用していないらしいな」と拓也は苦笑した。「まあいいや。で、なぜ結婚に興味がないんだ」

「あたしの夢は、遊んで暮らすことよ。おなかの子供は、そのためのお金を出してくれる打出の小槌《こづち》。そういうチャンスを、ずっと待ってたのよ」

「寄生虫というわけか」

彼の言葉に、康子は唇の端に冷ややかな笑いを覗かせた。

「あなただって寄生虫じゃない。大きな口叩かないでよ」

拓也は言葉を返さず、湯気のおさまりかけた茶碗を手にとった。だがそれを唇の手前まで運んだところで手を止めた。

「どうしたのよ」と康子は訊いた。

「考えてみたら、俺の方だけ一方的に康子を信じるってこともないんだよな」

するとと彼女は首をふって、「馬鹿ばかしい」といった。

「あたしがあなたを殺すはずがないじゃない」

「わかるものか」

拓也は湯のみ茶碗を彼女の前に押した。それで彼女は薄笑いを浮かべながら、その茶碗を手にとった。

「あなたには成功してほしいのよ。本心なのはわかるでしょ。あなたが仁科家に入りこめば、あたしも生まれ変われる。太陽がいっぱいの場所に出られるのよ」

そして彼女は自分が入れた茶を飲んだ。それを見てから、拓也はワイングラスを手に持った。

「なるほど、太陽に乾杯というわけだ」

「ええ、そう……」

彼女は茶碗を置いたが、そのあと突然大きく目を見開き、口を押えるようなしぐさをした。そしてソファに倒れると、呻き声を漏らし始めた。

康子が苦しむ姿を、拓也はワインを飲みながら見つめていた。不思議に何の恐ろしさもなかった。すべて計算通りなのだ。

二、三分で彼女の動きは止まった。それを確認してから ゆっくりと拓也は立ち上がった。手にワイングラスを持ったままだ。彼は康子の身体を足の先で揺すってみた。しかし反応はない。
「俺のどこが寄生虫だ、おまえと一緒にするなよ」

拓也は康子の頭を蹴《け》った。「何が太陽がいっぱいだ。おまえなんかに太陽が当たるわけないだろ。うぬぼれるなよ」


康子の留守中に毒を仕掛けておこうと決めたまではよかったが、青酸カリを仕込む場所には、拓也は頭を悩ませられた。殆どそのことばかり考えていたといってもよかった。

紙パックの牛乳、塩や醤油などの調味料、ハブラシなども考えたが、どれも失敗する確率が高いことに気がついた。牛乳はいつ飲むかわからないし、調味料は料理の種類によっては毒が極端に薄められるおそれがある。ハブラシに仕掛けても、どの程度体内に入るのかは疑問だ。

何よりも、康子が拓也の前で口にするようなものでないといけなかった。知らないうちに康子が中毒死するというのは危険だからだ。その時たまたま誰かが部屋に来ていたりしたら、すべて水の泡だ。

あらかじめ毒の入った飲み物か何かを、土産として持っていくという手もあった。あるいは彼女にコーヒーか何かを出させ、隙を見て毒を入れるか。

しかしこれは、彼女が全く警戒していないという条件の下で成り立つ話だ。それに隙を見て毒を入れるというのは、実際には大変な仕事だ。

警戒している人間でも、油断して飲むものがある。それは自分自身が入れた茶やコーヒーなどだ。

そこまで考えた時、絶好の仕掛け場所を思いついた。

急須の注ぎ口の奥だ。そこに粉状にした青酸カリを仕込んでおく。外からはわからない。茶の葉を入れて湯を注ぐと、青酸カリは静かに溶けこんでいく。そのまま湯のみに移せば、充分に濃度を持った毒入り茶が出来あがるのだ。

成功する——拓也は確信を持って実行した。そして、そのとおりになった。

彼は康子の死を確認すると、指先の接着剤をはがした。そしてまず最初に急須と湯のみ茶碗、ワイングラスを洗った。奇麗に拭き、指紋を残さないよう気をつけて棚に戻す。警察はこれらが関係しているとは、夢にも思わないことだろう。

あとは手袋をしての作業だ。持ってきた荷物を片付け、康子の前にはガラスのコップを置いた。少し水を入れておく。

自殺の前に、最後のおしゃれをしたという設定も欲しいな——。

拓也はドレッサーの方に行くと、死体を飾る適当なものがないか探してみた。するとすぐ上に、金色の花を模したブローチが置いてあった。八枚の花びらは金で、その中心にダイヤをちりばめてある。

ずいぶん高級なものを持っているんだな——。

拓也はそれを死体につけてやろうかと思った。だがふと思い直してやめることにした。康子は今夜の観劇にこれをつけていったのかもしれないのだ。もしつける場所が変わっていたりしたら、一緒に行った女子社員が騒ぎだすかもしれない。

あまり凝りすぎないことだな——そう思って彼はドレッサーから離れた。

玄関で靴を履くと、最後のチェックをした。大丈夫、完璧だと頷いてから覗き窓で外のようすを見る。深夜だが、それだけに人に見つかると厄介だ。

人がいないことを確かめてからドアを開けた。部屋の灯りを消す必要はない。真っ暗な中で自殺する人間はあまりいないだろう。

部屋を出ると合鍵で締めた。じつにスムーズに締まる。昨日の午後、試作工場の機械を使って作った合鍵だ。昨日の昼食時に康子の机に近づき、引出しから彼女の鍵を出して粘土で型を取ってあったのだ。この合鍵を使って、康子がミュージカルを観に行っている間に部屋に忍び込み、青酸カリを仕込んでおいたのだった。

拓也はマンションを出ると自分の車に戻った。忘れていることは何もない。これまでにも、肝心な時にミスをしたことなど一度もないのだ。

車のエンジンをかけ、アクセルを踏んだ。マンションの前を通り過ぎる時、思わず笑いがこみあげてきた。

5

雨宮康子の死体は、休みが明けた二十三日の月曜日に発見された。無断欠勤しているために、心配した同僚の女子社員が、調布市内にある康子のマンションを訪ねて見つけたのだ。対応が早かった理由に、橋本敦司のことがあったことはいうまでもない。

康子はダイニングの床に倒れていた。テーブルの上には水が四分の一ほど入ったガラスコップが置いてあるだけだ。室内は概《おおむ》ね片付いていて、争ったような形跡はない。

監察医は、死体をひと目見て青酸塩中毒ではないかといった。口の付近などにアーモンド臭のある粘液が付着しているのが特徴のひとつだ。

「犯人かな」と最初に呟いたのは谷口だった。第三の事件ということで、彼もかなり早くに到着していた。

犯人というのは、康子が仁科直樹と橋本敦司殺しの、という意味だ。

「雨宮康子は仁科敏樹の職場にいたのでしたね。しかも直樹が殺された日に有給休暇をとっていた……」

何日か前、谷口と話したことを思いだして佐山はいった。いいながら悔しさがこみあげてくる。雨宮康子は網の中に入ってはいたのだ。しかし特に彼女を監視するだけの材料はなかった。

「二人の男を殺そうとした女が、その望みを果たしたところで自殺か。殺しの動機はわからんが、そう考えると筋道が通っていなくもない」

「納得できませんね」と佐山はいった。「最初から自殺するつもりなら、仁科にしても橋本にしても、あれほど凝った殺し方をしなくてもいいはずです。あの犯行手段は、どう考えても犯人自身が助かるためのものですよ」

「心境が変わったのかもしれんぞ。あるいは衝動的な自殺か。警察捜査に対する脅えから死を選んだとも考えられる」

だが佐山は首を横にふった。

「今回の犯人はもっと冷静ですよ。衝動的に動いているわけじゃない」

「いや殺人なんてのは、本来衝動的なものさ。まあとにかくこれから調べれば、はっきりすることだ」

谷口は佐山の肩を叩くと、他の捜査員たちに指示を与えにいった。

佐山は康子が寝室として使っていた部屋に入った。ベッドがあって、全身を楽に映せそうな鏡のついたドレッサーがある。その上に金のブローチ。ベッドの枕もとにも縦型の宝石箱が置かれている。

宝石箱の中を調べてみると、数はさほど多くないが、本物の石を使ったおそらくブランド・ジュエリーだろうと思える品が揃っていた。今どきのＯＬというのは、こういうのを平気で買えるほど給料がいいのかなと、佐山はやや複雑な心境になった。

この印象は、洋服ダンスの中を見た時も同じだった。佐山は婦人服のブランド名など殆ど知らない。それでも物の良さは直感でわかる。

「結構贅沢な暮らしをしていたようですね」

佐山の横に来た後輩刑事が、同じようにタンスの中を覗きこんでいった。「だいたいこのマンションの家賃だって、そう安くはないでしょう。それに加えて身の回りの品にまで、ずいぶん金をかけていますよ」

「うん。少しかけすぎという気もするな。妬《ねた》むわけじゃないが、我々の稼ぎじゃ、こういう生活は不可能だな」

「今の若い女性はリッチですからね」

後輩刑事は、うらやましそうな顔を隠そうともせずにいった。

次に佐山はドレッサーの引出しの一番上だけを開けてみた。この部屋には整理棚の類がひとつもないので、宝石以外の貴重品などはどこに入れていたのだろうという疑問から、ドレッサーの引出しに目をつけたのだ。

彼のこの勘は当たった。そこには預金通帳や健康保険証などが入っていたのだ。印鑑も一緒になっている。盗難に遭った時のことは考えなかったのだろうか。

佐山は通帳を開いてみた。捜査というよりも、若い女性がどの程度に裕福なのかを見てみようという好奇心の方が強い。

だがそこに並んでいる数字を見て拍子抜けした。

残金四万二千百三十七円。

何だこれは、と彼は思った。いくら給料日前だからといっても、少なすぎるのではないか。新卒の社員でも、一年に百万円以上貯める者がいるという話を聞いたことがある。

しかしすぐにこれが当然なのかという気もした。見たところ雨宮康子は贅沢な暮らしをしている。だから貯金が少ないのが当たり前なのであって、この上貯金まで多いと、それこそ不自然なのだ。

何となく安堵している自分に、佐山は思わず苦笑した。二十歳そこその娘と、何を張り合おうというのだ。

だがその苦笑も長くは続かなかった。引出しの中から、もっと彼の気をひくものが出てきたからだった。

診察証だ。永山《ながやま》産婦人科、とある。来院の日付は十月十三日。ひと月ちょっと前だ。

「キャップ」

佐山は谷口を呼んだ。


永山産婦人科は雨宮康子のマンションから車で十分ほどのところにあった。ちょうどこの夜は康子の担当医師がいるということなので、佐山と新堂が話を聞きに訪れた。

白髪が目立つ中年の医師は、康子が死んだという話に目を剝《む》き、ひとしきり驚いた。

「少し変わったところがありましたが、奇麗な人でしたね。そうですか、亡くなったのですか。今さらながら、人の命というのはわからない」

「変わったところというのは?」と佐山は訊いた。

「初めてここに見えた時の印象ですよ。診察をお願いします、たぶん妊娠しているはずですから、とこういう感じでした。最近の若い女性はサバサバしていますが、あの方は特にそうでしたね」

「で、妊娠していたのですか」

「二ヵ月でした」と医師は答えた。「おめでたですよと教えてあげた時の反応も変わっていましたね。喜んでいるふうでもあるんだが、淡々としているふうでもある。未婚だということでしたが、少なくともショックを受けているようすはなかったです」

なかなか冷静な分析だと佐山は感心した。

「堕胎しなかったのですか」と新堂が訊いた。

「はい」と医師は明瞭に答えた。「私も堕胎を希望するのかなと思っていたのですが、ご本人は産む意思を持っておられました。それを聞いて、やはりほっとしましたよ」

康子は子供を産むつもりだった——。

誰の子供をだ、と佐山は考えを巡らせながら、

「父親については何かいっておられませんでしたか」

と訊いてみた。医師の表情が、少し困ったように歪んだ。

「じつはそのことで、ちょっと変わった質問を雨宮さんから受けたことがあるんです」

「変わった質問？」

「ええ。赤ん坊の血液型はいつ頃わかるのかという質問でした」

「へえ」と佐山は新堂と顔を見合わせて、「たしかに変わったことを訊くものですね」

「だから雨宮さん自身、父親がはっきりわからなかったんじゃないかと思うんです。それで血液型で調べようとされたのじゃないですか」

「そういうことですか。で、先生は何とお答えになったのですか」

「血液型は受精の瞬間から決定されているということをお教えした上で、調べるのは出産後の方がいいと申し上げました。妊娠初期から中期にかけてだと、不可能ではないが非常に危険が伴うからです」

「それで雨宮さんは納得されましたか」と佐山は訊いた。

「少し考えておられましたが、納得されたようですよ。産むという意思に変わりはないようでした。その後も順調だったのですが」

そういって医師はまた残念そうな表情を浮かべた。

署に戻ると、佐山は谷口に報告した。谷口は天井を見上げると、頭の中を整理するように呟いた。

「雨宮康子は妊娠していた。相手の男は本人にもわからない。つまり複数の男と関係していたということだ。父親の名前はわからないにもかかわらず、康子は子供を産むつもりだった。一人で育てるつもりだったのか？」

「合点がいきませんね」と佐山はいった。「あの部屋を見たかぎりでは、かなり贅沢な暮らしに馴れた女ですよ。父なし子を育てるといった苦労を背負いこむタイプじゃない」

「いや、子供に関しては女は別人になりますよ」

横からこういったのは新堂だ。「結婚はしたくないが、子供は欲しい。そんなふうにいう女性が結構多いんですよ。男性遍歴が多くて男との生活には飽き飽きしているというのが、その手の女性の共通点です」

自信たっぷりな口調だ。最近の女性についてあまり詳しくない佐山は、黙りこむしかない。

「まあとにかく相手の男を探すのが先決だ」

とりまとめるように谷口がいった。「もっとも、現在生きているかどうかはわからんがな」

仁科直樹と橋本敦司のことをいっているのだ。この意見については、佐山と新堂は揃って頷いた。

6

康子の死に対する社内での反響について、拓也は概ね満足していた。今朝の新聞記事ではまだ詳しいことは書かれていなかったが、死体を発見した女性社員の話が噂になって広がっているせいか、大抵の人間は自殺だと考えているようだった。拓也が今日最初に会った同僚社員なども、

「聞いたかい？　役員室の雨宮康子、青酸カリで自殺だってさ」

と話しかけてきたのだった。その男はついでにこんなこともいった。

「仁科室長や一課の橋本を殺したのは、彼女だったたって話だぜ。どういう事情があるのか知らないが、女ってのは怖いねえ」

全くそうだなと、拓也は深刻な顔を作って相槌をうったのだった。

午後になると彼は埼玉の工場に出かけたが、そこでも事件の話でもちきりだった。

「橋本さんならよく知っているけれど、誰かに恨みを買うような人じゃないですよね。でもやっぱり、今度死んだ女の人と何かあったのかな」

現場の生産技術を担当している長瀬《ながせ》という男は、拓也から何か事件についての面白い情報を引きだそうとしているらしく、しきりにこの話題にこだわっていた。

「俺はよく知らないんだ」

だが拓也はこう答えるだけだった。

その生産技術部員は、拓也を第二工場の方に連れていった。調子の良くないロボットがあるというのだ。

「今までよりも動きは間違いなく速いし、ワーク（製品）を掴みそこねたりすることも少なくていいんですよ。でもほら、こういう欠陥品が流れてきた時でもね、構わずに組み付けをしちゃうんですよ。これは何とかなりませんか」

不良品としてはね出してあるワークを手にとって、長瀬はいった。

「別に問題でもないでしょう。後の品質チェック工程ではね出されるんだから」

「それはそうですが、もっと早い段階で出しておけば、無駄に部品を使わなくても済むんですよね」

「そんなことより、そういう欠陥品が流れないようにすればいいんじゃないですか。この前工程は作業者がやってるんでしたね」

「ええ」と長瀬の声が小さくなる。「かなり細かい作業なんで、全自動化ができないんですよね」

「人間に頼っているうちは、不良品はなくならないですよ。その皺寄せをロボットに押しつけられたんじゃたまらない」

「そういうわけじゃないんですが」

「調子の良くないロボットというのは、これだけの話ですか」

わざわざ埼玉まで呼ばれてこんなことかと声がとがったが、

「いえ、じつは誤動作したやつがあるんですよ」

長瀬は別の場所に拓也を連れていった。溶接工程を行なっているロボットのところだ。

「止めたはずなのに、突然動きだしたっていうんです。それでこんなふうに電源を切ってあるんですが」

「ふうん」

拓也はロボットを見た。腕を動かす時の軌道に、ちょっとした工夫を加えてあるタイプだ。

「まあ、調べてみましょう。ノイズの影響だとかではないと思うけれど」

「お願いします。何しろ去年の事故があるんで、そばで作業する人間がブルっちゃって」

長瀬がいったので、拓也は彼の顔を睨みつけた。

「あの事故は作業者の操作ミスだと判明しているんですよ。妙な誤解をうけないよう、きちんと説明してくれないと困りますね」

「いや、それはしているんですが、現場で働いている人間というのは、なかなか偏見を捨てられなくて」

「偏見——そのとおりです」

いいながら拓也はコントローラーのスイッチを入れた。

「ああ、ところで」と長瀬はちょっと口調を変えていった。「昨日本社の方から問い合わせが来ていましたよ。末永さんのことでした」

「俺のこと？」

拓也は手を止めて振り返った。「どういう内容ですか」

「妙でしたね。末永さんが今までにタッチしたロボットの名前を教えてほしいって……。そんなこと、ご本人に訊けば一番早いと思ったんですが」

拓也は眉を寄せた。

「本当に妙な問い合わせだな。どこからでした？」

「それが、技術情報を整理している者だっていっただけで。女子社員の声でしたよ」

「へえ……」

いったい何者だろう——拓也は強い不快感を覚え始めていた。

7

雨宮康子の死体が見つかった翌朝、彼女の父親がやって来たという知らせが、調布署から狛江署の捜査本部に入った。康子の実家は福岡で、昨夜は来られなかったのだ。今朝一番の飛行機に乗ったらしい。

谷口に命じられて、新堂が話を聞きに出かけていった。

佐山は例によってMM重工を訪れた。もうこれで何度目になるかなと、虚しい勘定をしながら会社の正門で来客者名簿に名前を書いた。来客者用ロビーも、もう充分に勝手がわかっている。

この日まず会ったのは、研究開発部の女子社員全員を取り仕切っている中野秋代《なかのあきよ》という係長だった。中年の、ひと昔前の言葉を使えばインテリタイプの女性である。細い顔にメタルフレームの眼鏡が、なかなか似合っている。彼女の説明によると、康子たちは正式には人事部に所属していて、それぞれの職場に派遣されているという形らしい。だから中野自身も人事部の係長ということになる。

「仕事はきちんとする子でした。私たちの指示にも、素直にしたがってくれましたし」

康子の死についてすでに情報が入っているからか、中野秋代は比較的落ち着いた声で話し始めた。

「真面目な部下だったということですか」

「ええ、でも……」と中野秋代は少しいい淀《よど》んで、「今の若い人全体にいえることですけれど、何を考えているのかわからないなと思うことも時々ありました。といっても仕事内容に不備があるとか、理解しがたい行動をとるとかじゃないんです。ただ、仕事以外の付き合いというものが殆どありませんでしたし、ふだんはどういう生活しているのか、全くわかりませんでした。

素顔を見せなかった、といえばいいでしょうか」

「会社と私生活を割りきっていたということですね」

佐山がいった。現代の若者の特徴だ。

「ええ。ですから私」と中野秋代はここで言葉を切り、「正直なところ、あの子が少し苦手でした」とメタルフレームの眼鏡の位置を直した。まさしく正直な意見なのだろうと佐山は頷いた。

康子の死が自殺だったとして、何か心当たりはないかと尋ねてみた。何もありません、と彼女は答えた。少なくとも仕事上のトラブルなどは、なかったという。

「ああ、でも」と思いだしたように彼女はいった。「近々会社を辞めることになっていました。辞表はまだ提出していませんでしたが」

「辞職？　その理由は？」

「実家に帰って花嫁修業をするとかでしたけど。くわしいことは聞いていません」

適当な嘘だなと佐山は思った。またこの口ぶりからだと、中野秋代たちは康子の妊娠については何も知らないらしい。

管理者から聞き出せるのはこの程度だろうと見切りをつけて、彼は康子と親しかった人間に会うことを希望した。中野秋代は、朝野朋子という康子と同期入社の女子社員を推薦した。

だが朋子からも有益な情報は得られなかった。

「彼女が死んだなんて、全然信じられません。悩みごとがあったなら、相談してくれればよかったのに」

ふっくらした頬にハンカチを当てて朋子はいった。

異性関係について訊いてみる。

「彼女は美人だったし、いい寄ってくる男性もいたみたいですけど、実際に誰かと付き合ったという話は聞いたことがありません。あたしたち、時々男性社員の方にテニスとかスキーとかに誘われて行くこともあるんですけど、彼女はそういうの嫌いだったみたいです。誘っても、一度も来なかったから」

「社外に恋人がいたのかもしれませんね」

佐山はいってみたが、

「そんなことないと思います。全然聞いたことないから」

朋子はきっぱりと否定した。

男がいなくては妊娠するはずがない。また、行きずりの男の子供を産もうとするはずがない。要するに朝野朋子にしても、雨宮康子のことは何ひとつ知らなかったということなのだ。

この後、佐山は仁科敏樹に会ってみようと思った。橋本はともかく、仁科直樹と雨宮康子の共通点は敏樹しかないのだ。

だが社内電話の受話器を上げたところで、今日はやめておこうという気になった。敏樹に会うには、もう少し材料が整ってからの方がいいと思ったのだ。

代わりに公衆電話から捜査本部に連絡すると、今から新宿に行ってくれと谷口が指示を出してきた。康子の女子大時代の友人に当たる予定の捜査員と合流しろということだ。

「康子の父親から名前を聞き出したんだ。一緒に旅行したりしていたらしい。連絡先は康子のアドレス帳に載っていた」

よろしく頼む、と谷口は締めくくった。

新宿の某ホテルの一階にある喫茶室が待ち合わせの場所だった。佐山が行くと、四角くて大きな顔の男が手を上げた。谷口班の一人、内藤《ないとう》だ。佐山よりも二つ上だ。柔道の猛者《もさ》で、壁のような身体をしている。

「助かった」と内藤は五分刈りの頭を掻きながら目を細めた。「若い女性相手の仕事は苦手でね。困ってたところなんだ」

「ヤクザの方がましですか」

「そりゃそうだ。気を遣う心配がない。若い女だと、話のもっていき方まで考えなきゃいけないからな。よろしく頼むよ」

内藤は右手で、手刀を切った。

それから五分後に、彼の苦手な若い女性が現われた。内藤の外見が目印になっていたらしく、彼を見て真っすぐ近づいてきた。どことなく猫を連想させる美人だ。黒を基調にした、シックな色合いのスーツを着ている。モデルだといっても通用しそうなぐらいスタイルもいいが、服のデザインにごまかされているのかもしれない。

杉村《すぎむら》ミチ子、とその女性は名乗った。少し鼻にかかった声だ。緊張しながらも、刑事たちを値踏みしているのがわかる。

「お忙しいところをすみませんね」

自己紹介のあとで佐山は詫びた。ミチ子はこの近くの生命保険会社に勤めているという話だったからだ。「雨宮康子さんがお亡くなりになったことはご存じですね？」

「先程聞きました」とミチ子は答えた。「とても驚いています」

彼女は何度も瞬きしたが、泣きだす心配は無用のようだった。最近の若い女性は、感情を抑えるのも得意だ。

彼女がウェイターにミルクティーを注文するのを待って、佐山はまず、康子との付き合いはどの程度だったかを尋ねた。学生時代の友人、今も時々会って飲みにいったりすることもある、でもこの二カ月ほどは顔を合わせていない——ミチ子は淡々とした口調で話してくれた。そのあとで、煙草を吸っていいですかと訊くので、どうぞといって佐山はガラスの灰皿を彼女の方に寄せた。内藤が灰皿の中のマッチを素早く取ったのは、柄にもなく火をつけようとしたかららしい。しかし彼が太い指でもたもたしている間に、彼女の方はバッグの中から銀色のスリムなライターを出してきて、格好よく火をつけてしまった。

佐山は冷めたコーヒーの残りを飲みほした。

「この二カ月ほど、電話で話したこともなかったのですか」

するとミチ子はマルボロを挟んだ指でこめかみを押えると、

「ひと月ぐらい前だったかしら、電話がありました」

と答えた。「大した用はなかったみたいなんです。だけど、変なことをいってました。一生に一度のギャンブルをしようかなって……」

「ギャンブル、博打《ばくち》ですか」

内藤が勢いこんだがミチ子は彼を無視して続けた。

「何よそれって訊いても、ちゃんと答えてくれませんでした。酔ってるのねっていったら、いいのよ今日が最後なんだからって。あれ、どういうことだったのかな」

終わりの方はミチ子も考えこむ顔つきになっていた。

「ひと月ほど前ですか。正確な日はわかりませんか」

「ええと、いつだったかしら。水曜……ああ違う。火曜日でした、たしか。だから、いつになるのかな」

「十三日ですね」

佐山はすぐに手帳のカレンダーを見ていった。ミチ子は頷いて、たぶんそうだと思うといった。

少しわかってきたと佐山は思った。十三日というのは、康子が永山産婦人科に行って妊娠を確かめた日だ。つまり彼女がミチ子にいった『ギャンブルをしようか』とは、子供を産むということに違いない。

問題は、なぜそれがギャンブルなのか、だ。

その時内藤が、

「雨宮さんは男性との交際の方は、どんな具合だったんでしょうか」

と質問した。口調はぎこちないが、佐山も訊こうと思ったことでタイミングはいい。

「最近はそういう話は聞かなかったですわ。でも彼女、昔から抜けがけすることがあったから、案外いい人を見つけていたかもしれないけれど」

こういった時、ようやくミチ子は少し頬を緩《ゆる》めた。

「学生時代は、かなり多くの男性と付き合っておられたんですか」と佐山が訊いた。

「康子が、それともあたしが？」

彼女は猫のような目をちらりと返してきた。

「とりあえず雨宮さんが、です」

「彼女は盛んでしたわ。恋人のいない時がないくらい。あたしなんて全然だめ」

「そんなことはないと思いますが……その頃の男性とは結局別れたわけですか」

「そのはずですわ。遊びと結婚は別だって割りきってたから」

「なるほどねえ」

佐山の頭に閃くことがあった。「妙なことを訊くようですが、雨宮さんは学生時代に間違って妊娠してしまった、ということはなかったでしょうか」

途端にミチ子の顔が不快そうに歪んだ。それでも佐山が目をそらさずに彼女の唇を見つめると、うんざりした表情を見せながらも、

「あたしの知っているかぎりでは、二度」

と煙草の白い煙を吐いて答えた。

「堕胎したのですね」

「ええ」

「いつ頃の話ですか」

「二年の夏と四年の秋」

「相手は？」

「二年の時はサークルの先輩で、四年の時はバイト先で知りあったカメラマンだということでした」

二年間で恋の相手の種類もずいぶん変わるらしい。

それはともかく、康子は堕胎そのものには抵抗を示さないようだった。

「その人たちとも結婚のことは考えなかったのですね」

「全く考えなかったと思います。結婚する時には、一生お金の心配をしなくていい相手を選ぶっていってましたから」

「玉の輿《こし》狙いというわけか」

内藤が呟いたが、その声に軽蔑の響きが混じっていたからだろう、ミチ子は彼を睨んでいった。

「平凡な家庭に生まれた人間が、ハイソサイエティに加われる唯一のチャンスが結婚ですわ。純愛だけじゃ生きていけませんもの」

「それがあなたや雨宮康子さんの主義だったわけだ」

佐山がいうと、彼女は少し顎を上げて、「いけません?」と訊いた。

「いけなくはないですよ。自由です。で、状況はどうだったんでしょうね。彼女の回りに理想の相手はいたんでしょうか」

「彼女が入社して間もなくその話をしましたけど、残念ながら良い相手に恵まれそうにないって嘆いてましたわ」

「計算通りにはいかないということですね。あなたの方はどうですか」

「あたし?」

ミチ子は半分ほどの長さになった煙草を灰皿の中で消した。「来年結婚します」

「それは、どうも。お相手は理想通りですか」

「ええ、銀行家の次男ですから」と彼女はいった。

「うまく知り合えたものですね」

「お見合いですわ。決まってるでしょ」

そういって彼女はまた顎をちょっと上に向けた。


佐山たちが捜査本部に戻ると、新堂たちも帰っていた。父親から聞いてきた話を谷口に報告するところだったので、横に立って耳を傾けた。

「生まれは福岡市内ですね。父親の職業は高校の教師。社会を教えているそうです。兄が一人いて、鹿児島のセメント会社に勤めています。母親はいません。十年前に離婚したんだそうです」

「ということは、父親は一人暮らしか」

「いえ、八十一になる婆さんがいます。二人暮らしです」

さらに新堂は続ける。康子の略歴などだ。地元の小学校、中学校と上がり、高校は市内の進学校に入学。卒業後は当人の強い希望により、東京の私立女子大に進んだ。

「若い者は東京に憧れるからなあ」と谷口がため息をついた。

「父親の話では、在学中の四年間はおろか、卒業後も一度も実家に帰っていないそうです。就職の際の必要書類なんかは全部郵送したらしいですね」

「聞いているのも虚《むな》しいような話だな。父親が哀れになってくる。そのくせ金だけは、しっかりせびっていたんだろうな」

「学生時代の仕送りは、月に十二万だそうです。それでも少ないと文句をいってたそうですよ」

谷口はうんざりした顔を、ゆっくりと左右に振った。

「それだけ苦労させられて、挙句に死なれちゃ救いがないな」

「全くそのとおりですね。かなりの落ち込みようで、気の毒でしたよ」

「妊娠のことは話したのか」

「話しました。追い討ちをかけるようで嫌でしたけどね。当然心当たりなんかは全然なくて、ショックを受けているようすでした。ただ――」

と新堂は言葉を切った。

「どうかしたのか」

「ええ。康子はどうするつもりだったのですかと訊かれたので、産むつもりだったらしいですよと答えたんです。すると父親は、何か考えこむ顔つきでしたね。あれが少し気になります。いや、どうってことないのかもしれませんが」

新堂は、何か納得しがたいものを抱いているようだった。

やがて各方面に聞き込みに出かけていた捜査員たちが続々と帰ってきた。特に大きな収穫はない。ただ康子の銀行預金の関係を調べていた捜査員が、少し面白い話を持って帰ってきた。

「康子の贅沢志向の秘密がわかりましたよ」と、その捜査員はいった。「全部ローンです。クレジット・カードで買って、ボーナス払いだとか、何カ月割りだとかにしていたんです。毎月その支払いで給料の何割かが消えていたはずで、まあ早い話が自転車操業です。その自覚が本人にあったかどうかは知りませんが」

通帳を見るたびに危機感に襲われるが、買い物をする時には自覚がなくなるのだろうと佐山は想像した。クレジット・カードにはそういう落とし穴がある。

「とにかく単純に計算した場合でも、この自転車操業に破綻《はたん》をきたすのは時間の問題だったようですね。もっともこの二カ月ほどは、金の使い方にやや抑制がきいていますね。さすがに焦ったのかもしれません」

「やれやれ、そこまでしてブランド物の服や宝石を集めたいものなのかねえ」

若い女の心理は全くわからないと、柔道六段の内藤はお手上げのポーズをした。

「ところで科捜研の方から報告書が回ってきている」

谷口は書類を取り出した。「仁科直樹の部屋の灰皿に、紙の燃えかすが残っていただろう。殆ど内容は読めなかったが」

「AとかBとかの記号が判読できただけでしたね」と新堂がいった。

「正確には、あの時点でABCの三文字が読めただけだ。科捜研からの報告によると、その後の分析でも、あと三文字解読するのがやっとだったそうだ」

谷口は書類を皆の前に出した。全員の目が集中する。しかしすぐに失望の声が誰からともなく漏れた。

「たったこれだけじゃあな」といったのは内藤だ。

「だが立派な手がかりだ」

「じゃあどうしますか。関係者に心当たりがないかどうか当たってみますか」

「それもいいが、公表して情報を待つのも手だな。MM重工の協力が必要だが、まあ嫌だとはいわんだろう」

立派な手がかりとはいいながら、谷口もあまり期待していない口ぶりだった。

この夜、康子の解剖結果が出された。捜査員が集められる。

「死因は青酸カリによる中毒死。死亡したのは、二十一日土曜日の夜だと思われる」

また、と谷口はここで捜査員たちの顔を見回した。「妊娠三ヵ月。胎児は順調に育っていた」

「子供の血液型は?」と佐山は訊いた。

「判明した。結論からいうと、仁科直樹、橋本敦司のどちらも子供の父親ではない」

8

康子を殺してから五日がたつ。今日は二十六日、木曜日だ。

拓也は技術資料室で、文献調査をしていた。といっても特に目当ての文献があるわけではない。仕事に疲れた時、ちょっと息抜きをするためにここにやって来ることがあるのだ。静かで机もあるので、考えごとをするには最適だ。

拓也のところに、まだ刑事は来ていなかった。他の関係者のところには現われているらしいから、康子の死を自殺として簡単に処理したわけではなさそうだ。いくら何でも、警察の捜査がそれほど杜撰《ずさん》であるはずがない。

まあしかし順調だ、と拓也は満足していた。どうやら康子ではないようだった。といってもまだ終わったわけではない。直樹や橋本を殺した犯人は不明なのだ。

何とか探りだす方法を考えなければならないな――。

そのことを考えると、気の休まる暇がなかった。

拓也は頭では全く別のことを思案しながら、技術レポートを保管してある棚の間を歩いていた。MM重工の研究者たちは、自分の研究成果をレポートにして提出する。それが会社の財産になるわけだが、何百人もいる研究者が、各自毎年何件も提出していたらすぐに保管室は飽和してしまう。そこですべてマイクロフィルムに収められ、この棚に保管されているのだ。

ぼんやりと歩いていたが、気づくとロボット事業部のコーナーに立っていた。最近特にレポート数が激増したコーナーだ。その中でも開発二課は光っているはずだった。

おや――彼は自分のレポートが収められているはずのマイクロフィルムを探した。だがそこだけ歯が抜けたように空いているのだ。

といっても、別に難しく考える必要はなかった。ここの資料は社員なら誰でも閲覧できるのだ。今ここにないということは、誰かが借りているということだ。

誰が見ているんだろうな――。

興味があった。拓也は、マイクロフィルムの拡大装置が並んでいる部屋を覗いてみた。装置は五台ある。現在操作しているのは一人だ。しかも女子社員。

その顔を見て拓也は怪訝《けげん》な気分になった。知っている女だった。仁科直樹の部屋にいた中森弓絵という事務員だ。

彼女がなぜ俺のレポートなんかを見ているんだ――。

次に彼が思い当たったのは、埼玉の工場に行った時に聞いた話だ。本社から電話があって、拓也の担当したロボットについて尋ねたという。

あれも中森弓絵ではなかったのか。

拓也は彼女に気づかれないように背後から近づいた。彼女は何かのファイルを脇に置き、まるでその内容を照合するようにマイクロフィルムを見ていた。彼の位置からでは、ファイルの中までは見えない。

棚の陰に隠れ、拓也は彼女がフィルムを見終えるのを待った。やがて彼女は機械のスイッチを切り、フィルムを抜いて棚のところに返しに行った。ファイルは傍らの紙袋に入れたらしい。拓也は素早く近づくと、ファイルを抜き出した。タイトルは『昭和四十九年度業務計画』。何だこれ、と思いながら表紙をめくる。そして目を剝いた。

組立ロボット『ナオミ』による死亡事故について――。

こういう表題のついたレポートがまずある。安全課が出したものの写しだ。さらに拓也は頁をめくってみた。新聞記事、ロボット『ナオミ』の仕様書などが綴《と》じられている。

どういうことなんだ、いったい何のために――。

足音が聞こえてきた。拓也はファイルを戻すと、また棚の陰に隠れた。

中森弓絵は何を考えているんだ、今頃どうしてあの事故を――拓也はやや混乱気味の頭を必死に整理しようとしていた。ロボット『ナオミ』の事故とは、去年の夏埼玉の第三組立工場で起きた死亡事故だ。しかしあれは作業者のミスということでケリがついている。

開発企画室の誰かに頼まれたのかな。それにしてもあの奇妙なファイルは何だ――。

どうにも説明がつかなかった。直接弓絵に訊いてみようかとも思うが、それはまずい結果を生むような気もした。

あの女について、少し調べた方がいいかもしれないな――。

考えた末、ようやく結論らしきものが出た。

職場に戻ると、課長が社員たちを集合させているところだった。拓也も呼ばれて、同僚たちと共に課長机の前に並んだ。

「今ここにいない者には後で伝えておいてもらいたいんだが、警視庁の方から例の事件で広く情報を求めたいという話があったそうだ」

課長の声はいつもと比べて抑え気味だ。事件に関して今までは野次馬を決めこんでいたが、にわかに関係者としての自覚が出てきたらしい。

課員たちが注目する中、一枚のプリントを読みあげる。

「内容はこうだ。仁科企画室長の事件の時、室長のマンションの部屋が荒らされていたそうなんだが、灰皿の中から紙を燃やした灰が見つかったらしい。そこに書いてあった文字が判明したので、心当たりはないかということだ」

紙を燃やした灰?

何だろうと拓也は思った。橋本は例の連判状を見つけようと直樹の部屋を探しまわったとはいったが、何かを燃やしたとはいわなかった。康子殺害計画の証拠となりそうなものもなかったといったはずだ。

ということは燃やしたのは直樹自身か。

課長は続ける。

「灰が見つかった時に判読できたのはアルファベットで、A、B、Cの三文字らしい。たったこれだけのものに心当たりがないかとは、ずいぶん無茶な話だが」

ABC——。

あれだ、と拓也は唾を飲みこんだ。康子殺害を企てた時の計画書だ。あれは直樹が持っていた。そして実行の前に、彼が自宅で燃やしたに違いない。そんな中途半端な燃やし方をするくらいなら、駅のゴミ箱に丸めて捨てた方が余程ましだと奥歯を噛んだ。

「ええと、ただしその後で科学的に分析して、ある程度読めた文字が三つある。二つは漢字で、屋敷の『屋』という字と子供の『子』という字だ」

心臓がどきりと大きく弾んだのを拓也は感じた。危ないなと冷や汗をかく。『屋』とは名古屋の『屋』ではないのか。そして『子』は康子の『子』だ。いずれも計画書に何度も出てきた文字だった。

だが課長の次の言葉は、さらに拓也を驚かせるものだった。

「最後の一つもアルファベットだ。Dだ。A、B、Cに続いて、Dが出てきたということだな。以上六つの文字に心当たりのある者は、私のところに申し出るように——」

スピーカーから流れる曲が、いつの間にかハード・ロックに変わっていた。拓也はベッドから身体を起こすと、コントローラーを操作してチューナーのチャンネルをFMからAMに変えた。どこかでニュースをやっているかと思ったのだが、アイドル歌手の下手くそな歌が流れてくるだけだった。

スイッチを切ると闇に取り残されたような気分になった。灯りをつけていないせいだ。会社から帰ってきて、すぐに横になったのだ。ステレオのスイッチを入れたが、殆ど何も耳に入ってこなかった。

「D……か」

その意味を考えている。康子殺害計画の時に使ったアルファベットは、ABCの三つだけだ。だが燃えかすにはDの文字が残っていたという。

Aは仁科直樹、Bは俺、Cは橋本――ではDは康子なのかと思ったが、そんなはずはない。康子は康子だ。だからこそ『子』という文字が見つかったのだ。

例の手品の件もある、と拓也は思った。直樹はトランプ手品が得意で、カードでのクジ引きで不正をするのは簡単だったはずだ。だが彼は最も嫌な役目であるAを取った。

直樹は何かを隠していたのだ。これはもう疑いがない。そして彼が隠していたことの一つに、『D』がある。

考えられることは、直樹が拓也たちに話したのとは、別の計画を立てていたということだった。そこにはABCのほかに、Dが登場する。だが直樹はDの存在を拓也たちに話すわけにはいかなかった。

直樹の真の計画はどういうものだったのか。Dの役目を推理してみる。拓也たちにはその存在を隠さねばならないから、BやCの役目に絡んだものではないはずだ。ではAの役目に関係してくるのか。

ここまで考えて拓也は息を飲んだ。Dの役目とは、Aの代わりに康子を殺すことではなかったのか。だからこそ直樹は手品を使ってまでAを選んだのではないか。

拓也は頭を掻きむしった。おぼろげに何かが見えてくる。あと少しだ。

直樹は康子殺しを計画した際、自分が手を下すのではなく、それをDにやらせることにした。だがそのDに疑いがかからないとも限らない。そこでアリバイ工作係として、拓也と橋本を利用することにした。Dのことを二人に知られないために、自分が康子を殺すということにして。

しかし誤算があった。そのDに直樹自身が殺されてしまったのだ。

Dとは一体誰なのか。拓也は様々な人間の顔を思い浮かべてみた。直樹との関係を知られてはならない人間というのは――。

拓也はベッドから立つと、キッチンで水を飲んだ。水道の水が一番安心だ。このところ少し油断しているが、命が狙われていることに変わりはないはずだった。

俺の生命を狙っているのもDなのか――拓也はガラスのコップを握りしめた。

その時チャイムが鳴った。思わず身体がぴくりとする。今頃誰が訪ねてきたのだろう。彼はコップを置くと、ドアの覗き窓から外を覗いた。

そこに立っていたのは刑事だった。前にも会ったことがある。佐山という刑事だ。拓也は鍵をゆっくりと外しながら、素早く頭を働かせた。康子殺しについて何かわかったのか。いや、少なくとも俺が疑われることはないはずだと自分にいい聞かせた。

息を整えてからドアを開ける。佐山は愛想笑いを見せた。

「夜分に申し訳ありませんね」

刑事はポケットから何か出そうとした。だが拓也はそれを制して、

「覚えていますよ、佐山さんでしたね。何ですか、こんな時間に」

「いや、じつは少しお話を伺いたいと思ったものですから。今、よろしいですか」

「結構ですよ、どうぞ」

拓也は彼を部屋に招き入れた。そのあとで、いつもの自分なら刑事を部屋に入れたりしないなと拓也は気づいた。やはり平静ではないのだ。

「いい部屋ですね。日当たりも良さそうだし、何より静かだ。失礼ですが、お買いになったんですか」

ベランダ側のカーテンを少し開くと、ガラス戸越しに夜景を見ながら佐山刑事は訊いてきた。

「賃貸ですよ」と拓也は答えた。「サラリーマンには買えませんよ」

「同感ですね。自分も狭い賃貸アパートですよ」

「ところで、事件の方はどうなんですか。会社では、何となく片付いたような雰囲気なんですがね」

「片付いた？」

佐山はカーテンを元に戻すと、意外そうな顔で振り返った。「どういう意味ですか」

「雨宮さんが一連の事件の犯人で、最後には自殺したって、皆そう思ってますよ」

拓也がいうと佐山はゆっくりと頷き、首筋のあたりをこすった。

「その可能性もありますね。その場合は片付いたということになる」

「そうじゃない可能性もあるというんですか」

「いや、わかりません」と佐山はいった。「まだ何ともいえないんですよ。いろいろと調査が不備なところもありましてね。だからこうして様々な方にご迷惑をおかけしているわけです」

「僕に関する調査で、何か不備なことでもあるんですか」

「いえ、不備というほどのことでもないんですがね」

佐山は背広の内ポケットから黒っぽい手帳を出してくると、やけにもったいぶった動作で開いた。

「今月十日のことについて、もう一度お聞きしたいんですよ。あなたは名古屋の名西工機という会社に出張に行ってらしたんですね」

「そのとおりです」

拓也は少し安堵して頷いた。あの日のことなら何を訊かれても大丈夫だという自信があるのだ。

「じつはその件について、あなたのところの課長さんからもお話を伺ったのですよ。お聞きしたところによると、末永さんご自身が出張を希望されたそうですね。しかもかなり間際になって」

「それほどの間際でもないですよ。よくあることです」

「でも名西工機という会社とは、それまでは取引がなかったのでしょう？　なぜ今回に限ってそういうことになったわけですか」

さすがに調べているなと拓也は思った。

「名西工機からの売り込みは以前からあったんですよ。我々としても取引先を偏《かたよ》らせるようなことは避けたいので、新しいルートを開拓したい。しかし実績のない会社はやはり不安です。それで今回は、研究用設備の見積仕様書だけでも出させてみようと思いたったわけです」

この台詞は拓也自身の耳には全くの嘘っぱちに聞こえたが、佐山としては嘘だと決めつける材料はないはずだった。

「なるほど、既成の方針にとらわれないということですね」

一応感心したような口ぶりだった。

「僕のアリバイが問題になっているんですか」

拓也の方から訊いてみた。いえいえ、と佐山は掌をふった。

「そういうわけではないのですが、少しでも疑問が生じれば確認することになっているんです。お気を悪くなさらないでください」

「別に気を悪くしたりはしませんが」

「失礼ついでにもう一つお訊きしますが、二十一日の午後はどこかに出かけられましたか。先週の土曜日です」

来たな、と拓也は思った。康子を殺した日だ。

「基本的にはこの部屋にいました。夜になってから、コンビニエンス・ストアに出かけた程度ですね。ああ、それからビデオ・レンタルにも行ったな」

拓也は机の引出しから、何枚かのレシートを出した。その中から一枚、コンビニエンス・ストアに行った時のものを探しだして佐山に渡した。

「軽い食べ物を買いに行ったんですよ。日付も入っているでしょ」

「十一月二十一日、二十一時五分……そうですね。この夜は、お一人でしたか」

「ええ、そうです」

胸をはって答えた。アリバイがないからといって、小さくなることはない。

「わかりました。このレシート、お借りしてよろしいですか」

「ええ、どうぞ。差し上げますよ」

佐山は白い紙きれを大事そうにしまった。

「どうもお邪魔しました。失礼なことばかりお訊きして申し訳ありませんでした」

「いいえ」といって拓也は刑事を玄関まで見送った。だが佐山はドアを開ける前に、ふと思いだしたように振り向いた。

「もう一ついいですか」

「何ですか」

「末永さんの血液型を知りたいんですが」

「血液型ですか」

いいながらピンときた。康子の子供の父親を探っているのだ。拓也は佐山の顔を見返すと、わざと苦笑を浮かべた。

「雨宮さんの妊娠の件ですね。僕と彼女とは何もありませんよ」

彼女が妊娠していたことについては、先日の新聞で小さく報じられていた。

すると佐山は頭に手をやって、照れたように歯を見せた。

「見抜かれてはしかたがないですね。すみません、一応関係者全員に伺っていることなので」

「でも橋本か仁科室長が相手だったんじゃないんですか。新聞にはそこまでは書いてなかったけれど」

「いや、じつはお二人とも違うんです。血液型が合わないんですよ」

拓也はどきりとした。とすると自分の子か――。

「どう合わないんですか」

「その前にあなたの血液型をお願いします」

佐山は口元を緩め、そのわりに少しも笑っていない目を拓也に向けていった。拓也は唇を舌で濡らすと、

「O型です」

と、出来るかぎり平然とした態度を作っていった。

「O型」と佐山は確認するように繰り返した。「たしかですね」

「会社の医局が嘘つきでなければ」

拓也がいうと、佐山は片方の頰だけで笑った。そして静かにいった。

「雨宮さんの血液型もO型でした。橋本さんと仁科直樹さんは、二人ともAでした。しかし子

供の血液型はB型だったんですよ」

「B型……」

「ええ、これであなたの疑いも晴れたわけですね」

9

十一月二十七日、金曜日。佐山と新堂の両刑事は、新幹線ひかり号の禁煙席に並んで座っていた。行き先は名古屋だ。

「死体をリレーするというのは、たしかに奇抜なアイデアですよ。そうやってアリバイを工作するためだと考えれば、わざわざ死体を大阪から東京まで運んだ理由にも納得がいきます」

新堂は道路地図を広げていった。さらに赤鉛筆で、厚木インターチェンジのところを丸で囲んだ。

「しかし、その奇抜なアイデアも、今や風前の灯だ」

佐山は肘《ひじ》掛けに肘を置いて頬づえをついた。「大阪から厚木まで運ぶんなら、死体をリレーしたところで大したメリットもないんだ。関係者のアリバイをもう一度洗ってみたが、そういう形跡のある人間は見当たらない」

「唯一考えられるのは、当日名古屋にいた末永ですね」

「まあそうなんだが、それにしても末永にはアリバイがある。嫌になるほど完璧のな。証人にも会ってみるつもりだが、覆《くつがえ》ることはないだろうな」

「でも佐山さんが名古屋行きを希望したのには、やはり末永を疑っているからでしょう？　愛知県警にも協力を要請されてたみたいじゃないですか」

「それほど大層な考えでもないさ。死体リレー説に拘《こだわ》った場合、消去法でいくと、最早《もはや》あの男しか残らないからだよ。だから場合によっては、これでリレー説は捨てなきゃならんかもしれないな。ただ末永があの日たまたま名古屋にいたというのが、どうにも気に入らない。それに昨日、あの男に会ったが、何か油断のならないものを感じるんだ。とはいえ、今回はまあ新堂の出張に便乗しただけだよ」

新堂の出張というのは、仁科直樹の実家を訪ねることだった。直樹は十五歳まで、豊橋にある母の実家で暮らしていたのだ。

「それにしても例の青い羊毛は見事でしたね。あれでキャップもリレー説を完全には否定しなくなりましたからね」

「まあな。あれは思った以上の収穫だった」

昨日の夜、鑑識から新たな報告があったのだ。それによると仁科直樹が身につけていた上着から、何本かの青い羊毛繊維が見つかったということだった。それと同じものがすでに橋本の車のトランクから出ている。これで青い毛布に包まれた死体が、橋本の車で運ばれたことが裏づけられたわけだ。今回の出張を谷口が渋々ながらも認めたのも、そういう事情があるからだった。

名古屋に到着すると、まずは中村《なかむら》警察署に行った。名古屋駅のすぐそばだ。署長への挨拶を済ませ、そのあとで宮田《みやた》という刑事に会った。宮田は佐山が依頼した件について調べてくれた人間だ。小柄で、気の良さそうな顔をしている。

「レンタカーの件ですが、名古屋駅周辺のレンタカー屋を当たったところでは、末永拓也という客は現われていませんね」

宮田は歯切れよくいった。

「やはりそうですか」と佐山は頷いて、「例の七人については調べていただけましたか」

「調べましたよ。それほど大変な作業でもなかったです。本人たちに尋ねただけですが、それでよかったんですね」

「ええ結構です」と佐山はいった。「で、どうでした?」

「七人のうち、車を持っているのは六人でした。トヨタのマークⅡが二人と、カリーナED……まあ車種はいいですね。とにかく六人とも否定しました。事件当夜、誰かに車を貸したということはないそうです」

「そうですか……いや、どうもお手数をおかけしました」

佐山は頭を下げて礼をいった。

中村署を出ると、すぐに新堂が訊いてきた。

「何だったんですか、例の七人って?」

「末永拓也の高校・大学時代の同級生だよ。卒業生名簿を取り寄せて、その中から現在名古屋に住んでいる人間だけをリストアップしたんだ」

「ははあ、末永が昔の仲間から車を借りたかもしれないと考えたわけですね」

「うん。死体を厚木まで運んで、また名古屋に戻ってこなくてはならない。となると、どうしても名古屋で車を調達する必要があるからな」

「レンタカーを使ったわけでもなさそうですね」

「そのようだな。まあレンタカーのセンはないと思っていたんだが」

今度の犯人が、わざわざ証拠の残る手段を選ぶはずがなかった。

「東京で車を調達し、出張の日はその車を運転して名古屋にやって来たとは考えられませんか」と新堂は訊いた。

「ところが朝は、相手業者の東京営業所の人間が一緒だった。間違いなく新幹線を使っている」

「じゃあ前もって車を名古屋に運んでおいたというのはどうです」

「そんなに長期間、誰が貸してくれる?」

「自分の車を使ったというのはどうです。末永は車を持っているんでしょう?」

「持っているさ。MRⅡという車だ。二人乗りで、トランクはゴルフバッグを入れるのがやっとという小ささだ」

ふうっと息を吐くと、新堂はお手上げの格好をした。

二人が次に向かったのは名古屋セントラルホテルだった。フロント係を呼んで、当日の末永の宿泊について確認してみる。ホテル側の記録と末永の供述に矛盾はなかった。朝七時にモーニング・コールを依頼したことまで、きちんと記録に残っている。

「これはまあ当然だよ」

ホテルを出ながら佐山はいった。「仮にアリバイ工作をしたのなら、こんな基本的なところでミスを犯すはずはないからな」

「そうすると次に行くところも同じ結果ですかね」

「おそらくな、しかし行かないというわけにもいくまい」

彼らが次に予定しているのは、千種《ちぐさ》区にある名西工機だ。

名古屋の地下街で昼食をとったあと、二人は地下鉄に乗った。千種駅で降り、タクシーで五分ほど走ったところに名西工機はあった。運転手には会社名をいっただけでわかったから、地元では有名企業なのだろう。

受付で名乗ると、PRルームという製品展示室の応接間に通された。壁際に並んでいるのは、この会社の自慢の製品なのだろうが、佐山にはそれらの装置がどういう働きをして、何の役に立つのか全くわからなかった。ロジック・アナライザ、トランジェント・レコーダ——何のことやらさっぱりだ。

五分ほどで相手は現われた。紺色の背広を着た、四十前ぐらいの痩せた男だった。渡された名刺には、営業課長奥村豊《おくむらゆたか》とあった。予《あらかじ》め電話で聞いた話では、この男が終始末永と一緒にいたということだ。

「MMさんの例の事件のことでしょう？　末永さんのことは何度か問い合わせを受けていますが、あの方が疑われているんですか」

奥村はあまり遠慮のない訊き方をしてきた。佐山はあわてて手を振った。ついでに笑顔を添える。

「そういうわけではないんですが、あの日たまたま会社におられなかったものですからね、どうしても何度も確認するということになるんですよ」

「ははあ、なるほど。テレビドラマでも、警察の捜査というのはそんな感じですね」

奥村はあっさりと納得したようだった。

佐山は本題に入ることにした。まずは末永のアリバイの確認からだ。ここでもホテル同様、末永の供述と矛盾はない。奥村は夜の十時ぐらいまで彼と一緒にいたらしい。

「食事を終えたのが十時頃とは、ちょっと遅いですね」と新堂がいった。

「何となく遅くなってしまったんです。我々はもっと早くするつもりだったんですが、末永さんの方からいろいろと質問を受けまして、それで長びいてしまったんですよ」

「へえ、末永さんの方からね」

そういって新堂は佐山を見た。末永に何らかの作為があったのではないかと、その目は語っている。

「末永さんは食事中、時間を気にしているようなところはなかったですか？　何度も腕時計を見たとか、落ち着きがなかっただとか」と佐山が訊いた。

「それは気がつきませんでしたが」と奥村は当時のことを思いだす顔になって、「食事の後で夜の名古屋を案内しようとしたんですが、頑強に断わられたのが印象に残っていますね。データを早くまとめたいからということで、我々も強くはお誘いしなかったのです。でも、そんなに整理に時間がかかるデータでもないじゃないかというのが、その時に思ったことでした」

「ふうむ。ということは食事の後末永さんは、そそくさとホテルに帰られたということですね」

作為が感じられなくもない。しかし十時以降では何ができるというのだ。

「まあこちらでは、酒の席を断わるための口実と解釈したんですがね。そういう誘いに乗ると、取引の上で冷たい仕打ちもできなくなりますからね。実際それがこちらの狙いでもあるわけですが。しかしMMさんは、今回の件については、うちを採用する気は最初からなかったでしょう。まずは実力を見たというところじゃないですかね」

「そういうことはよくあるんですか」と新堂が訊いた。

「ありますよ。新しい取引をする前は必ずそうです。でもそのわりには今回の末永さんの視察は熱がこもっていましたよ。何しろ二日がかりですからね。正直なところ、それほど熱心に見ていただけるとは期待していなかったんですよ」

そういって奥村は目を細めた。

二日がかり……か――。

そうしなければならない理由が末永個人にあったとは考えられないか。しかしそれも考えすぎなのかもしれなかった。

名西工機を出て名古屋に戻ると、次は名鉄に乗り換えて豊橋に向かった。本来の目的地である仁科直樹の実家を訪ねるためだ。全席座席指定の特急なので、ゆったりと座って行ける。

「やはり死体リレー説はボツかな」佐山は自分の肩を揉《も》みながらいった。

「でも怪しいですよ、末永は」と新堂がいった。「奴の名古屋出張には、どうも作為を感じますよ」

「同感だが、アリバイがな」

「ええ、アリバイがね。どう考えても、奴に仁科は殺せない」

新堂は両手を組み合わせると、指の関節をポキポキと鳴らした。捜査が進まずに苛立った時の癖だ。

「ひとつ考えていることがあるんだが……」

佐山が口を開くと、「えっ？」と新堂は顔を向けた。

「末永も共犯者の一人だとは考えられないかな」

「はあ？」

「つまり主犯格は別にいて、末永も橋本も死体を運んだ仲間にすぎないという仮説だ」

「ちょっと待ってくださいよ。こういうことですか。仁科を殺したのはさらに別の人間で、末永は死体を厚木まで運んだだけ。そして厚木からは橋本が請け負った――」

「そういうことだ。だが名古屋にいた末永が、死体を車に積むために大阪まで行ったとは考えられない。主犯格の人間が、仁科を大阪で殺した後、名古屋まで運んだんじゃないか。大阪、名古屋、厚木、東京――死体のリレーは三人の人物によって成されたものじゃなかったのか」

そこまでしゃべってから、佐山は呆然としている新堂に気づいて苦笑した。

「突拍子もないことはわかっているんだ。だから誰にも話せないでいた。何ひとつ証拠もないしな。末永のことが引っ掛かって仕方がないから、あの男を無理やり犯人に仕立てるため、無意識に作りだした妄想かもしれないんだが」

「いや、そうとばかりはいえませんよ」

新堂は熱っぽい目で見返してきた。「面白いじゃないですか。そのアイデアは捨てがたいですよ。そうなると主犯格は誰かということですね」

「そう、それを突きとめなくてはならない」

ここで新堂はぱちんと指を鳴らした。

「康子。雨宮康子はどうですか」

「それも考えたさ」と佐山はいった。康子が死んだ時から、ずっと頭にあるのだ。「しかしこの仕事は女には無理だと思う。身重だとなれば尚更《なおさら》だ」

「そうか、それはいえますね」

新堂は唸り声をあげてから、「そういえば康子の子供の父親も謎のままだ。あるいはその男が主犯なのかもしれません」

「大いに考えられることだよ」

佐山は深く頷いた。

「ところで直樹の実家、というより直樹の母親の実家について整理しておこうか」

「そうですね。ちょっと待ってくださいよ」

新堂は背広のポケットから手帳を出してくると、付箋《ふせん》の挟んである頁を開いた。「名字は光井ですね。直樹の母親の名前は芙美子。芙美子の父親は兄弟たちと一緒に、光井製作所という会社を経営していたそうです」

「何の会社だい」

「金属加工業となっています。主な取引先はMM重工静岡工場」

「ほう……」

ここにもMMが出てくるのかと佐山は少し身を起こした。

「主な、とありますが、実際には殆どMM重工からの仕事だったようです。しかし経営状態はあまり思わしくありませんでした。同業者との生存競争が激しかったからです。ところが光井製作所は、ある時期から急速に盛り返します」

「芝居がかった言い方をしなくてもいい。光井芙美子が仁科家に嫁いだからだろう」

「そのとおりです。芙美子は静岡工場の事務員をしていたのですが、当時あらゆる職場を体験中の仁科敏樹に見初《みそ》められたというわけです。ちょっとしたシンデレラだ。この縁談の成立後、MM重工から光井製作所への発注が急増したんです。光井一族は喜んで、工場の拡張を行ないました」

「目に浮かぶようだな」

中年男たちのはしゃぐ様子を想像して、佐山は思わず微笑んだ。

「でもこの蜜月も一年ちょっとしか続きませんでした。芙美子は直樹を連れて実家に帰ってしまったのです。間もなく離婚が成立しました」

「離婚の原因は何だったんだい」

「仁科敏樹の女遊びらしいです。よくある話ですよ。離婚はすぐに決まりましたが、揉めたのは子供のことです。慰謝料も養育費もいらないから自分が育てると芙美子はいったそうです。結局その希望が通って子供は彼女のもの、おまけに慰謝料や養育費もいくらかは貰えるということで片がついたようです」

「じゃあ円満解決ということじゃないか」

「ところがそうでもないんです」

新堂は手帳の頁をめくると、咳払いをした。「離婚から二年後、光井製作所が潰れました。理由はいわなくてもわかりますね。MM重工からの発注が止まったんです。仁科敏樹の指示があったんでしょうね。工場を拡張した時の借金が、結局命取りになったのだから皮肉なものです」

「ふうん、零細企業の悲しさ……か」

それにしても離婚した妻の実家に攻撃を仕掛けるとは、仁科敏樹という男も陰険だなと佐山は思った。当時はまだ若く、感情を抑えきれなかったのかもしれないが。

名古屋から豊橋までは約五十分で到着した。豊橋駅は名鉄とJRのホームが同居している、比較的大きな駅だった。

駅前でタクシーを拾い、仁科直樹の実家の住所を運転手に述べた。「湊町ですね、これならすぐ近くですよ」と運転手は愛想よく答えた。

運転手がいったとおり、湊町には数分で着いた。道さえ知っていれば、歩いても大した距離ではないだろう。佐山たちは適当な場所でタクシーを降りると、番地を頼りに歩いてみた。

「ここのようですね」

古い木造の家の前で立ち止まると、表札を見ながら新堂がいった。こぢんまりとした二階建てで、畳三枚分ほどの庭が垣根越しに見える。といっても手入れをしているようすはなく、雑草が伸び放題になっていた。

佐山は表札を見た。そこに書いてある名字は、光井ではなかった。

「直樹が東京に引き取られて数年後、芙美子の親も死に、人手に渡ったんですよ」と新堂がいった。

「つまり直樹には、帰るべき実家はなかったということか」

「そうですが、この先に光井芙美子の妹の嫁ぎ先があるんです。そちらの家には、最近までちょくちょく顔を出していたということです」

「ふうん、直樹にとっては叔母さんということか」

「名前は波江《なみえ》、現在の姓は山中《やまなか》だそうです」
二、三分歩くと、山中製材という看板の建物が見えた。二階建てだが、コンクリートの壁はひび割れていて、いかにも古そうだ。建物の横には小さな車庫があり、薄汚れたバンと軽トラが並んで入っていた。バンの方はともかく、軽トラの方は動きそうな感じがしなかった。

「ここは昔の事務所ですね。この近くに、新しく作ったという建物があるはずなんですが……」

さらに歩くと、真新しいタイル張りの建物が目の前に現われた。山中製材ＫＫという看板も光っている。光井家とは違って、こちらの方は成功をおさめたといえそうだ。

四階建てのビルの横に、やはりこちらも最近建て直したと思える邸宅があった。表札には山中次雄《つぐお》とある。

「すごいな。百坪、いやもっとあるだろうな。これだけ大きいと把握できませんね」

しきりに感嘆の声を上げながら、新堂はインターホンを押した。

山中波江は長身で、ほっそりとした身体つきをしていた。年は五十すぎだろうが、そうとは思えないほど肌が若かった。赤いカーディガンも派手な感じはしない。

彼女は刑事たちの訪問の目的を知ると、ためらわずに応接間に導いた。そして手伝いの女性に、自分の夫を呼んでくるように命じた。

「姉は光井家の犠牲になったようなものでした」と彼女は刑事たちにいった。「姉は仁科さんのことを愛してはいませんでした。でも父や伯父たちに無理やり結婚させられたんです。仁科家での生活は、まるで悪夢のようだったと姉はいってましたわ。そういう気持ちが表面に出るのか、仁科さんの心もすぐに姉から離れてしまったんです」

「それですぐに離婚されたわけですね」

いいながら佐山はティーカップに手を伸ばした。ハーブの香りがした。

「離婚が決まる前に、姉は直樹君を連れて実家に帰ってきました。それは仁科さんに子供を奪われたくなかったからなんです。仁科さんは姉が男の子を産んだ瞬間から、どうやって姉だけを光井家に帰すかを考えておられたんです」

「後継ぎが確保できたから用済みということですか」

佐山の表現に、波江は薄く笑った。

「まるで明治時代みたいでしょ」

「でも直樹さんは芙美子さんが引き取ることになったのですね」

「ええ。あの時は大変な騒ぎでしたわ。仁科家から脅迫まがいのことまでされて、こちらの親戚は、どうか直樹を仁科家に渡してくれと頼みに来て……それでも姉は負けませんでした」

そして彼女は続けた。「姉は素晴らしかったですわ」

「しかしその結果、光井製作所は窮地に立たされることになったわけだ」

波江は目を伏せるようにして頷いた。

「あの頃はひどかったですわ。毎日債権者が押しかけてきて……親戚の者たちは、何もかも姉が悪いのだといいはりました。姉が仁科家から貰った慰謝料も、知らない間に消えていたんです」

なるほどひどい話だと佐山は吐息をついた。

「それ以後はどうやって暮らしていたんですか」

「姉は働きに出ました。家は手離さずに済んだので、何とかやっていけたという感じでした。

直樹君の養育費だけは、毎月振り込まれてきましたしね。その頃はあたしのところも事業を始めたばかりで、援助する余裕もなかったんですけど」

波江がここまで話した時、応接間のドアが開き、太った男が現われた。波江の夫だろう。精力的に動いているのか、この季節に額に汗を浮かべている。

自己紹介のあと、直樹の話になった。

「真面目な子でしたよ。少しおとなしすぎるところはありましたがね。よくうちにも遊びに来ました。うちには彼より二つ下の息子がいるし、彼にとっては、ここぐらいしか心を休められる場所がなかったんじゃないかな」

山中は、それが地声なのか、よく響く声でいった。

「直樹さんは仁科家のことをどう思っていたんでしょうね」と佐山は訊いた。

「そりゃあ仁科さんのことは恨んでました」と山中はいった。「芙美子さんは語りたがらなかったが、親戚の人間はヤツ当たり半分に、まだ子供の直樹君に恨み言をこぼしてましたからね。どうしても憎しみが植えつけられますよ」

直樹の子供時代がわかるようだった。古い家、疲れ果てた母――。

「でも暗いばかりじゃないんですよ」

波江は横からフォローするようにいった。「東京に引き取られてからも、時々ここに遊びにきました。大学生になってからは、仕事の手伝いをしてくれたりして」

「ほう、手伝いを」

「ちょっとした荷物運びですけどね」と山中がいった。「ふだん殆ど使っていないバンが一台あるんですが、それなんか直樹君専用みたいなものですよ」

「ああ、そういえば」と新堂が口を挟んだ。「ここへ来る途中、古い建物の車庫に車が二台置いてあるのが見えました」

「あれです、あれです」と山中は歯を見せた。「今でもここへ来た時には自家用車代わりでした。しかしあれも……もう不要だな」

隣りで夫人が目頭を押えた。

第五章　殺しのトラップ

1

　拓也が奇妙な場所で中森弓絵の姿を見たのは、十二月に入って間もなくのことだった。空気が冷たさを増し、それぞれの建物の暖房も強められていた。

　奇妙な場所というのは、拓也たちが使う実験棟の裏にある倉庫の中だった。そこには耐用年数をはるかに過ぎた機械だとか、プロジェクトが途中で頓挫《とんざ》したために未完成のままになっている試作品だとかが置かれている。いずれも廃棄時期を待っているだけのガラクタだ。

　拓也がそこに入ったのは、以前処分した電源を、再び回収するためだった。旧式の安定化電源で、もう使うこともないだろうと思っていたのだが、ちょっとした実験をするのに必要になったのだ。

　倉庫には灯りがついていた。ということは先客がいるということである。拓也は何気なく奥の方まで進んでみた。

　先客は、弓絵だったのだ。拓也は声を漏らしそうになるのをこらえた。

弓絵は部屋の一番奥に立っていた。拓也の方からは彼女の右横顔が見える。そしてその目は、彼女の正面にある鉄の塊りに向けられていた。

あれは——。

その鉄の塊りには覚えがある。組み立て用ロボット『ナオミ』だ。ナオミは去年の事故以来現場を離れて、この倉庫に眠っていたのだ。

そのナオミを弓絵が見つめている。見つめたままで、動かない。

拓也は足を一歩踏みだした。カチャッ、という金属音が響いた。部品か何かを蹴《け》ったらしい。

弓絵が、はっとしたように彼の方を向き、それからさらに驚きの表情を見せた。息を飲むのがわかる。それから彼女は急ぎ足で立ち去ろうとしたが、

「待てよ」

という拓也の声で、その足が止まった。身体全体に電気が走ったような反応だった。

彼は弓絵の前に進んだ。彼女はうつむく。

「君に訊きたいことがある」と拓也はいった。「いろいろなところで俺のことを調べてるだろう。いったいどういうつもりなんだ」

弓絵はちらりと彼の顔を見たが、またすぐに下を向いた。そして消えそうな声で、

「あたし、知りません」といった。

「とぼけちゃ困るな」

拓也が鋭く浴びせると、彼女の身体がまたびくりと動いた。伏せた睫《まつげ》を見ながら彼は続け

た。

「埼玉の工場に妙な問い合わせをしたり、資料室で俺のレポートを読んでたことは知ってるんだ。説明してもらいたいね」

だが弓絵は少し唇を震わせたあと、

「あたし、急ぎますから」

といって彼の脇を抜けようとした。その彼女の腕を、拓也は素早く摑んだ。細く、柔らかい腕だった。力の加減をしなかったので、小柄な彼女は簡単にバランスを崩した。

あっという彼女の声と共に、何かが下にばさりと落ちた。ベージュ色のファイルノートだった。

弓絵はファイルを拾おうとした。しかし拓也は腕を引いて、それをさせなかった。

「離してください。痛いんです」と彼女はいった。

「そのファイルの中身を当ててやろう。去年のナオミの事故に関する資料だ。どうだい、当たりだろ？」

弓絵は顔を上げ、目を大きく開いた。だが拓也が睨みつけると、また顔をそらした。

「いうんだ。いったい何を調べている？　何を知ってるんだ」

拓也は彼女の身体をさらに引き寄せると、両肩を摑み、そのまま近くの壁に押しつけた。弓絵は顔をしかめた。

「いいます。いいますから乱暴しないで」

「正直にいったら離してやるさ」

拓也は肩を摑む指に力を加えた。壊れそうなほど華奢《きゃしゃ》な肩だ。

弓絵は唇を嚙《か》んで、拓也の顔を見つめた。

「あたし……あたし、高島勇二さんと結婚するはずだったんです」

「高島？」

拓也は記憶を探った。覚えのない名前だった。そのようすを見てか、弓絵は恨めしそうな顔をした。

「覚えてなんかおられないでしょうね。あなた方はいつもそう。高島さん、勇二君……あのロボットに殺された作業員です」

彼女が顎で示したのは、ナオミだった。ああ、と拓也は記憶の中からその名前を探りだした。高島勇二、たしかそんな名前だった。

拓也は指から力を抜いた。弓絵は彼の腕の下をくぐって逃れると、落ちていたファイルノートを拾った。しかし去ろうとはせず、彼の方を向いた。赤く充血した両方の目から、涙がこぼれ始めている。

そうか、あの作業者の恋人だったのか――。

「勇二君、あなたたちに殺されたんです」

震える声で彼女はいった。「本当なら今頃、幸せになっていたのに……」

「ちょっと待ってくれよ。どういうことかわからないな。たしかに気の毒な事故だったし、君には同情するけれど、あれは高島君の操作ミスが原因だった。我々の側に手落ちはなかったんだ」

「嘘です。勇二君、そんなミスをする人じゃありません」

「嘘じゃない。充分に調査した末の結論なんだ」

それから拓也は改めて彼女を見た。「しかし君は、なぜ今頃になって調べようという気になったんだ？　まさか事故の後、ずっとこんなことをしていたわけじゃないだろう？」

すると弓絵は少し迷ったように黙っていたが、

「室長さんが亡くなった後、これを部屋で見つけたんです」

といって手にしたファイルを差し出した。

拓也は受け取って頁をめくった。前に資料室で盗み見たものだ。

「これを室長が持っていたのかい」と彼は訊いた。

「ええ。じつはそれまでにも、室長さんが何かを熱心に調べておられるということだけは知っていたんです。ふだんの仕事には全然関心がないみたいなのに、何をしていらっしゃるのか、いつも気にはなっていたんです。今回このファイルを見つけて、きっとあの事故のことを調べておられたのだと思いました」

「それで君も、また調査し直そうという気になったわけか」

弓絵は頷いた。

「正直いうとあたし、諦めていたんです。あの事故のことは納得がいかないけれど、もうどうしようもないって。でもこのファイルを見つけてから考えが変わりました。もう一度調べ直してみようって。それが室長さんのご好意に応えることにもなると思いました」

「ご好意？」と拓也は問い直した。「どういう意味だい」

「室長さんはあたしが勇二君の婚約者だったということを、ご存じだったのだと思います。だから不幸な事故で落胆しているあたしを、比較的業務の楽な今の職場に呼んでくださったり、何かと優しくしてくださったのだと思うんです」

「信じられないな」

拓也は何度も首をふった。「あの室長が、なぜ例の事故にそんなに拘《こだわ》ったのだろう？　あの人とは何の関係もなかったはずなのに」

「いえ、関係はあったと思います」

弓絵はきっぱりとした調子でいった。「だから殺されたんじゃないかと……そんな気もしているんです」

「そんな馬鹿な」

いい捨ててから、拓也はふと思いつくことがあって弓絵の顔を凝視した。彼女も何か感じてか、少し後ずさりした。

「おい、まさか」と拓也は低い声を出した。「俺のことを調べてたのは、それがあったからか。室長の動きを鬱陶《うっとう》しく感じて殺したとでもいうのかい」

彼女はさらに後ろに二、三歩下がった。

「そういうわけじゃ……。でも室長さんが殺される直前、橋本さんとお二人で室長さんとお会いになってましたよね。その内のお二人が亡くなって……」

「俺だけが生き残っているので疑われたということか。冗談じゃない。あの時の話は全然関係のないものさ。それに君は何でも例の事故と結びつけたいらしいが、俺はともかく橋本なんてのは、宇宙開発向けの極限ロボットを研究している男さ。事故とは微塵《みじん》ほどの関係もないね」

口調が厳しかったからか、拓也の言い分に反論できなかったからか、弓絵はまた黙って下を向いてしまった。涙は止まらないらしく、時々手を目に当てている。

「殺人事件とは、関係ないかもしれませんけれど……」

間もなく、また小さな声で話し始めた。「でもあたし、納得できないんです。勇二君が死んだこと。あたし、ロボットについて少し勉強しました。操作ミスというのも多いそうですけど、プログラムミスだとかの可能性もあるって本に書いてありました」

「しかし、ごく稀だよ」と拓也はいった。「そのほかノイズによる誤動作だとか、ロボット自体に原因があるというのは、僅《わず》かだよ。そんなことで事故が起きる確率より、人間がミスをする確率の方がはるかに高いと思うね」

すると弓絵は顎を引き、上目遣いをした。

「勇二君がいつもいってました。エリートたちは作業者よりもロボットの方が大事なんだって。連中にとっては、作業者の方が消耗品だって」

拓也は苦笑した。実際そう思っているのだから、否定のしようがなかった。だがこの表情は彼女を苛立たせたようだ。

「狂ってるわ」と彼女はいった。「頭がどうかしてるのよ」

「今にわかるよ」と拓也はいった。「人間なんてつまらないものだってことがね」

弓絵が唾を飲みこむのがわかった。見かけによらず勝ち気な性格らしい。彼女は拓也に歩みよると、右手を出した。「ファイルを返してください」

「いや、これは俺が預かっておこう」

拓也はそれを小脇に抱えた。

「そんな……そんな権利ありません」

「じゃあ君にはあるのかい？　上司の資料を勝手に私物化する権利がさ」

「………」彼女は唇を噛んだ。

「不満なら君の現在の上司に申し入れてもいい。この資料を貸してほしい、とね」

悔しそうな目で見返してくる。何て目をするんだと拓也は思った。死んでしまった者のために、心身を消耗させて何になるというのだ？

「君は時々ここに？」

やや気圧《けお》された気分を感じながら拓也は訊いた。

「ごくたまに」と彼女はいった。「くじけそうになる時とか」

「もう来るのはやめた方がいいな。意味のないことだよ」

だが彼女は答えず、失礼しますというと踵《きびす》を返して足早に去って行った。彼女の姿が見えなくなると、自分がどういうわけか安堵のようなものを感じていることに拓也は気づいた。どうしたことだろう。あんな娘を苦手に思うはずがないのだが……。

いや、そんなことよりもこれだ——。

拓也はファイルをめくった。

2

顔をこすると、掌が脂でギラギラと光った。頭が痒《かゆ》い。だだっ広い会議室に小さなストーブが一つあるだけだが、捜査員たちが発する体熱でむっとするほどだ。

佐山は両腕を伸ばして唸り声を上げた。しかし誰も、「どうしたんですか」とは訊いてこない。訊かなくてもわかっているからだ。それに唸っているのは彼だけでなかった。

仁科直樹、橋本敦司が殺された事件については、捜査が進展しているとはいいがたかった。決め手となるものが殆ど出てこないのだ。橋本の車が、仁科の死体を運ぶために使われたらしいと判明したことは収穫だったが、肝心の橋本が死んでいては、飛躍的な解明は望めなかった。

雨宮康子の件についても同じような状態だ。あちらの方は自殺なのか他殺なのかも判断できていない。仁科と橋本を殺して、自分も覚悟の死を選んだのではないかという説を唱える捜査員も多いが、それを裏づける何かが出てきているわけではなかった。康子が妊娠していて、その子供の血液型が殺された二人と合わないことから、じつは彼女の死は一連の事件とは何の関係もないのではないかといい出す者もいた。そしてその意見に対して、明確な反論を述べられる者もいなかった。

ただ康子の少女時代の話で、多少興味を持てる情報が入ってはいた。彼女の高校での同級生が東京で働いていて、彼女の死を知って名乗り出てきたのだ。その同級生は、康子が大学の仲間などには話さなかったようなことも知っていた。そしてその中には、両親が離婚した理由なども含まれていたのだ。

「彼女、かわいそうな子だったんです」

その同級生はこういって涙を流した。

しかしこの話にしても、今度の事件の解明に役立つかというと顔をしかめざるをえない。捜査当局が知りたいのは、康子の過去ではなく、現在だったのだ。

最初の事件が起きてから約三週間、要するに何も摑めてはいなかった。

佐山の死体リレー説も行き詰まっている状態だった。橋本が厚木から死体を受け取ったとして、そこまで死体を誰が運んだかとなるとお手上げだった。その日名古屋にいたということで、佐山は末永を一番に疑っているが、肝心の車が見つからないのでは絵に描いた餅にすぎないのだ。それに、仮にそうだったとしても、末永は主犯ではない。

自分の茶をいれるついでに、もう一つ湯のみを出した。二つ持って谷口の前に行く。谷口は電話を切ったところだった。彼の前に茶を置くと、

「おっ、すまんな」

やや疲れを滲《にじ》ませた声で礼をいった。

「関係者の車を片っ端から調べるってのはだめですか」

佐山がいうと、湯のみを口に持っていきかけた谷口の手が止まった。だが彼は部下の顔を見ようともせず、一度だけ顔をふると、

「だめだ」

といって茶を啜《すす》った。

「やっぱりね」

佐山も啜る。彼にしたところで、是非やりたいというほどではなかった。

「いい加減にリレー説は捨てたらどうだ。橋本の車を誰かが使って、大阪から東京まで運んだ。そう考えた方が自然だと思うがな」

「領収書のことがあります」

「あの切れっ端か？　いつの物かもわからんのに、変に拘《こだわ》ると肝心なものを見失うことになるぞ」

「藁《わら》にもすがるって言葉をご存じでしょ？」

「よく知ってるさ。俺たちの稼業はいつもそうだ。だがその藁ってのは、地道な成果であってほしいね。おまえのは当てずっぽうというんだ」

「本人は地道なつもりですがね」

佐山が谷口の前を離れようとした時、一人の捜査員が帰ってきた。開口一番、

「使えるネタですよ」

そういって谷口のところにやって来た。万年筆について調べている男だ。

「地道な成果が出たらしいな」

谷口は佐山を見てニヤリとしてから、その刑事の方を向いた。「店の場所はどこだ」

「調布市××町ですから、MM重工の本社からは近いです。車だと十数分ってところでしょうか。店の名前は菊井《きくい》文具店。小さな店です。間口が二間ほどしかありません」

「そんなところで万年筆なんて売ってるのか」

「もちろん売ってます。殆ど国産品ですがね。めったに売れないといってました。それだけにたまに買っていく客のことは、わりとよく覚えているらしいです。今度の事件でS社製の万年筆が話題になりましたが、自分のところでも最近売った覚えがあると思い伝票を調べてみたら、やはり事件の直前に売っている。どうしようかと二、三日迷っていたが、娘に勧められて警察に連絡する気になったんだそうです」

その種の情報は、連日数えきれないほど来ている。この刑事はそれらの一つ一つを当たっているわけだ。しかしそれらの情報は、まず当てにはならない。万年筆のメーカーが違っていたり、型式が違っていたりというのが殆どだし、ひどいのになるとボールペンだったりする。一般からの好意ある協力には感謝しなければならないのだが、空振り覚悟で歩きまわる捜査員たちの苦労には、言葉で表わしきれないものがあった。

「それでどうなんだ」と谷口は身を乗りだした。

「製品は間違いなく犯行に使われた物と同一です。伝票を確認してきました。日付は先月の十二日ですから、仁科直樹の死体が発見された翌日、橋本のところに届いた小包が発送された前日です」

「客の風体《ふうてい》や容貌は？」

「問題はそれですが」

捜査員は手帳を見ながら、「年齢はよくわからないが、ダサイおじさんっぽかったように思うと答えています」

「ダサイおじさん？　何だい、そりゃあ」

「はあ、じつはその時に店番をしていたのが、高校一年の娘だったんです。店主は晩飯を食っていたとかで」

「じゃあ、客が来たのは夜か」

「八時頃だったといっています。その頃に店主は晩飯を食べるとかで。それでその娘のいうには、あまり客と顔を合わせたくないので、顔はよく覚えてないそうです」

「でもダサイおじさんっぽかったことは覚えているんだな」

これをいったのは佐山だ。

「そうです。『ジャンパーが、よくおじさんが着ているようなので、金縁の眼鏡も流行遅れの変なの』だったそうです。顔を見ていなくても、そういうところはよく見ています。大したものです」

「ジャンパーの色は？」と谷口が訊いた。

「グレーか水色か薄い茶色だったか、はっきりしません。いずれにしても暗い中間色ですね」

色の記憶が全くバラバラだという気がするが、実際には人間の記憶力はこの程度である。高校一年の娘だから、ここまで覚えているのであって、父親の店主の方だったら、もっと曖昧《あいまい》になるはずだった。

「似顔絵を描いてみるかな……。顔の輪郭だとかは覚えてないのか」

「ふつうだったということです」

「ふつう？」

「つまり太くもなく細くもなく、丸くもなく長くもなかったと思うといっています」

「要するにだ」と谷口は顔をしかめた。「よく覚えていないということだな」

「残念ながら。もう一度会ったらわかるかと訊きましたが、わかるわけないという答えでした」

谷口はいらいらした心境を表わすように頭を掻きむしった。

「その男が買ったのは万年筆だけなのか」

「いえ、それから青インクです」

がたっと誰かが椅子を動かす音がした。万年筆に青インク、例の殺害手段とぴたり一致する。

「青インクの瓶か？」と谷口が念を押した。

「そうです。その瓶を二本」

「二本？」

佐山が声を出していた。

3

ミルクピッチャーを持っている手を止めて、悟郎は、えっと顔を上げた。思いがけないことを聞いたという顔だった。

「見つかっちゃったから、あたしがあのロボットの前にいるところを。それにあの人、あたしがいろいろと調べたことも知ってたみたいだし」

弓絵はアイスクリームをスプーンでつつきながらいった。今日会社の倉庫で、末永に何もかもしゃべったことを悟郎に話したのだ。

「君が彼の恋人だったたってことも？」

「うん、何もかもよ。ついでに、勇二君はあなたたちに殺されたんだっていってやったわ。でも――」

と弓絵は末永の仮面のような表情を思いだして、「全然応えてなかったみたい」

「自分たちに非はないっていうんだね？」

「そう。自信満々なの。ロボットの方が人間よりも優秀だと本気で信じてるの。狂ってるのよ。狂ってるわっていったけど、平気な顔してた」

「そういう奴らなんだよ」

悟郎はいってから、「あのファイルはどうしたんだい」と訊いた。

「取られちゃった」

弓絵はため息をついてアイスクリームを口に運ぶと、そのいきさつを話した。

「そうか……あれを取られちゃったのか」

悟郎はひどくショックを受けているようすだった。弓絵にしても、同様だ。

しばらく沈黙。弓絵がアイスクリームを食べるために鳴らすスプーンの音と、悟郎がコーヒーを啜る音が繰り返されるだけだ。

「それで、これからどうするんだい」

コーヒーを飲みほしてから悟郎が訊いた。

「そうね、あまり食欲はないんだけど……」

「今日のことじゃなくて、今後のことだよ。例の調査は続けるのかい」

「ああ、今後のことね」

弓絵は空になったアイスクリームの器に目を落とした。まだ何も考えていなかった。ここ何日間かは、勇二の事故を調べることで無我夢中だった。しかしあのファイルがないと、それを続けるのも困難だ。こんなことになるなら、コピーを一部とっておけばよかったと思う。

だけど――。

こんなことを続けて何になるのかという気もしてくる。今日の末永との会話で、何もかもが虚しくなってしまったのも事実だ。

「もう、やめちゃおうかな」

ぽつりと弓絵は漏らした。

「やめるって、調査をやめるのかい」

「うん、少し疲れちゃったし、自分がいかに無力か思い知っちゃったし」

「……頑張ったんだけどね」

「悟郎ちゃんにも苦労かけたわよね。いろんなこと調べさせたりして」

「いや、俺は結局殆ど役に立たなかったわけだし」

悟郎は自嘲気味に笑った。彼には社内での事故調査や保安を担当する、安全課などに当たってもらったのだ。たしかに彼のいうとおり、収穫があったとはいえなかったが。

「悟郎ちゃん」

弓絵は呼びかけた。「あたし、悟郎ちゃんのお嫁さんになっちゃおうかな」

「弓絵ちゃん……」

「もうちょっと気持ちの整理が出来てから、だけど」

すると悟郎は少し照れくさそうな顔をしたが、彼女の顔を見返していった。

「その頃にもう一度プロポーズするよ。そしたら返事してくれよ」

「うん」と弓絵は微笑んで頷いた。

「これからどうしようか？」と悟郎は訊いた。

「これから？」

「今日これからだよ。まだ時間はあるんだろ？」

「そうね」

弓絵は首を傾けた。今夜はいろいろなことを考えたくなかった。

「飲みに行きたいな」と彼女は呟いた。

「了解」

悟郎はレシートを掴むと、そのまま勢いよく立ち上がった。

4

よくわからないな、と拓也は思った。昼間に中森弓絵から奪いとった、ファイルを見ての感想である。ベッドに入り、電気スタンドの下で眺めている。

資料は去年起きたロボット事故に関する安全課の調査結果や、新聞記事、警察の見解、研究開発二課の報告書などだった。事故を起こしたロボット・ナオミの仕様書や、その時にナオミが組み立てていた製品に関する資料も入っていた。

なぜこんなものを直樹が集めていたのか?

それがわからない。

あの事故に関して調査している者がいても、それが直樹でなければ気にすることもなかった。そういう連中はいつもいるものだと割りきっている。それに開発二課が担当していたとはいえ、ナオミに関して拓也はあまりタッチしていないのだ。というのは、とりたてて際立った性能を要求されるロボットでもなかったからだ。無能な人間でも出来る作業を、代わりにやるというだけのものだった。その程度のロボットの開発に、わざわざ自分が前面に出ていく必要もないと思っている。

それでも拓也が気にするのは、直樹が調査していたという話を聞いたからだった。

一連の事件を整理して明らかなことは、直樹は拓也たちに何かを隠していたということだ。彼は最初の康子殺害計画の時から、自分だけの秘密を持っていた。即ち、拓也たち以外に協力者Dがいたということだ。

ではそのDとは何者なのか。なぜ直樹はその者の存在を隠す必要があったのか。

拓也としては、謎のDなる人物を何としても探りださなければならなかった。その人物こそ康子殺害計画を立てた時の連判状を持っているからだ。

それにしても、と拓也には少し腑《ふ》に落ちないことがある。それはあの万年筆事件以後、一度も命を狙われていないということだ。無論拓也自身も警戒しているし、犯人としても迂闊《うかつ》には手を出せなくなったのかもしれない。しかし直樹の死の後、すぐに毒入り万年筆を送ってきたことを考えれば、一刻も早く殺したいはずではないのか。

あるいは——。

こういうことも考えられる。謎のDは自分の正体を知っていると思って、橋本や拓也をも殺そうとしたのではないか。だがどうやら拓也は知らないらしいと判断して、殺す必要はないと思い直した——。

ありうることだ、と拓也は思った。では、Dが直樹を殺した理由は何か。

それがここに隠されているのではないか——そう思って拓也は再びファイルに目を戻した。

「たしかに気にはなるな」

彼が思わず声に出したのは、事故発生から問題解決までの流れを一つ一つ見ていった時である。それぞれの段階で必要な調査が成され、報告書も型通りに出ているのだが、あまりにも破《は》綻《たん》がなさすぎる。開発二課が自分たちの手落ちを認めないのは当然だが、事故となると目の色を変える安全課にしても、追及のしかたがやや甘い。客観的に見て、作業者の操作ミスと決めてかかっているようなフシが感じられるのだ。作業手順書の記載項目について、安全課はかなり強い調子で不備を訴えているが、ロボットの能力や仕様についてとなるとトーンが落ち気味だ。

あの事故の後、拓也たちもかなり様々な資料を作らされた覚えがある。課長がその資料を持って、対策会議に出席していたことも記憶に新しい。どうなることかと不安な心境で見守っていたが、開発二課に火の粉が飛んでくることなく、事件は解決したのだった。

仁科敏樹の力だな、と拓也は確信した。話が複雑になる前に、各方面に手を回したに違いない。

だから仁科直樹がそれを調べているのは、憎んでいる父親に対する抵抗か——。

いずれにしても少し調べてみるか、と拓也は思った。それから苦笑を漏らした。まさか自分がこの調査を引き継ぐことになるとは。

ファイルを閉じ、電気スタンドのスイッチを切る。

闇の中に、ふいに中森弓絵の泣き顔が浮かんだ。

翌日の朝、拓也は早速安全課に当たってみた。事故の調査を担当した人間に会うためである。だが馬場《ばば》という貧相な顔をした担当者は、拓也の問い合わせに、露骨に胡散《うさん》臭そうな表情を見せた。

「今頃どうかしたんですか」

馬場は机に座ったまま、拓也の頭のてっぺんからつま先までを、点検するように眺めながらいった。

「ちょっと調べたいことがあるんですよ。当時の資料やデータなんかは残ってますか」

「そりゃあ、保管してますよ。規則ですから」

拓也の身なりをチェックしたあとは、まるで違う方向を見て答えた。

「見せていただけますか」

すると馬場は不機嫌そうな顔のまま黙って椅子から立ち上がった。そして壁のアングル棚から分厚いファイルを取り出してくると、まるで嫌がらせをするように拓也の前でふうーっと息を吹きかけた。埃が舞い、拓也の顔にも少しかかった。

「どうぞ」と馬場はいった。

どうも、といって拓也はファイルを受け取った。そして早速中身を開く。間もなく彼は失望を感じていた。そこにあるのは直樹のファイルにあったものと大差なかった。

「何か文句がありますか」

拓也のようすをじっと覗いていた馬場が訊いてきた。質問ではなく、文句、といったのが興味深いと拓也は思った。

「ちょっとした疑問なんですが」と彼は馬場の方にファイルを見せていった。「調査期間が短いように思いますが、そういうことはありませんか」

調査期間はレポートによると約二週間だが、死亡事故であることを考えると、一ヵ月ぐらいは手間取りそうなものだ。

「別にそんなことはないですよ」と馬場はいった。「原因と問題点が明確になればいいわけですからね。仕事は早い方がいいに決まってます」

「特に急がされたわけではないんですか」

「そりゃ、出来るだけ早くしろっていつもいわれますよ。だから仕事が遅いならともかく、早いので文句いわれたんじゃたまらないな」

「いや、文句をいうつもりはないんですが」

「あんた、ロボット開発の人だろ」

馬場は拓也が胸につけているバッジを見ていった。そこには所属と名前が入っている。「それならこの問題についてはガタガタいわない方がいいんじゃないの。作業者のミスってことで落ち着いてるんだからさ」

拓也は相変わらず目を合わせようとしない馬場の顔を見下ろした。うんざりした顔を横に向けている。

「わかりました。どうも」

ファイルを返すと、拓也は安全課の部屋を出た。そしてドアを閉めながら、自分が星子と結婚して実権を握ったなら、まずあの馬場を地方の閑職に飛ばそうと考えていた。頭が悪く、口のききかたも知らないのではどうしようもない。

それはともかく、調べようがないな——。

あの馬場の態度からすると、例の事故については箝口令《かんこうれい》が出ているのかもしれない。となると、あまり目立った動きは慎まなくてはならなかった。

拓也が安全課のある建物を出て本館の方に歩いていくと、一人の男が正面ロビーから出てくるのが見えた。このところよく出会う。拓也のところに何度も来たことのある佐山刑事だ。また何か聞き込みをしに来たらしいが、収穫がなかったのか、曇った顔つきをしていた。

拓也は小走りに近づくと、声をかけた。佐山もすぐに気づいて、丁寧に頭を下げた。

「もうお帰りですか」と拓也は訊いた。

「ええ。今日は大した用でもなかったものですから」

「お茶でもどうですか。といっても自動販売機のうまくもないインスタント・コーヒーですけど」

「そうですね」と佐山は少し考えてから、「じゃあ少しだけ」といった。

拓也は刑事を、正面玄関から少し離れたところにある、社内バスの待合所に案内した。四畳半ほどの小さな部屋だ。ここならバスの発着時以外は人が来ることはない。

「今日はどういう用件だったんですか」

表に置いてある自販機でコーヒーを二つ買い、一つを差し出しながら拓也は尋ねた。

「これは恐縮です。——いや、本当に大した用じゃないんです。亡くなった雨宮康子と、最後に一緒にミュージカルを観に行ったという女性にお会いしていたんですよ。その時のようすはどうだったかだとかね」

「なるほど。それで？」

拓也は彼と並んでベンチに座った。

「よくわかりませんねえ」

佐山は弱ったという顔で首を捻ると、大して旨くもないコーヒーを旨そうに飲んだ。「自殺をするようなようすではなかったと、その女性はいうんです。とても楽しそうだったとね。ですが、案外自殺する前はそんなものだったりしましてね」

刑事はまた紙コップを傾ける。その横顔を見ながら、拓也は刑事の本心を読もうとした。

この粘液質の刑事が、あっさり自殺と認めるとは思えなかった。

「ところで子供の件はどうなったんですか。相手の男性は判明したんですか」

警察の動きを探るためというより、実際に気になっていることなので訊いてみた。

だが刑事は恥じるように首の後ろを叩いた。

「それがまだ不明なんです。こういう問題は難しいですよ」

「でしょうね」と拓也はいった。「案外彼女は遊んでたのかもしれないし」

「ええ、そうです」と佐山はいった。「これはここだけの話ですが、学生時代に二回堕胎しているんですよ。その頃の医者にも会ってみました。この次堕ろしたら、もう子供はできないぞと威(おど)したほどなんだそうです。まあそれで今回は堕ろす意思はなかったのかなと、今のところは考えているわけですが」

「へえ……」

気になる話だなと拓也は思った。

「まあ彼女にかぎらず」と佐山はいった。「今の若い女性は遊んでますね。全くついていけない。男なんてたじたじですよ」

「親が大変でしょうね」

「全く」

そういって佐山は頷いたが、「でもね、同情の余地がある場合も少なくないんですよ」と何かを思いだしたようにいった。

「同情？」

「ええ。たとえば雨宮康子さんの場合ですがね、高校教師の父親が卒業生と浮気をしたんだそうですよ。しかも子供まで出来てしまった。相手の女性が勝手に産んじゃったわけですよ。そんなことが表沙汰になったら世間体は悪いし、何よりも職を追われるのは目に見えてる。そこでしかたなく認知して、養育費を支払うことになった。ところがこの金が馬鹿にならなかったんですよ。世間に公表すると威《おど》されたら、多少法外な額でも払わないわけにはいかない。その結果家庭は滅茶苦茶になり、奥さんは家を出ていきました。おそらく雨宮さんもそんな家にうんざりしていたんでしょうね。東京に出てきてからは一度も帰っていないということでしたから」

刑事の話が終わってからも、拓也はすぐに述べるべき言葉が見つからなかった。康子にそういう過去があるとは、全く想像もしていなかったのだ。

「そのことを、彼女のお父さんご自身が告白されたのですか」

拓也が訊くと、いやいやというように佐山は手をふった。

「雨宮さんの高校時代の友人というのが東京にいましてね、その人から聞いたのです。雨宮さんも、ほかの人には話していなかったようです」

親の恥か、と拓也は不快になった。親の恥は、いつも子供にはね返ってくるのだ。

「さて……と」

佐山は空になった紙コップを握りつぶすと、そばにあったゴミ箱に捨てた。「そろそろ行きますよ。どうもごちそうさまでした」

「捜査の方、がんばってください」

「ええ、何とか」

そういって腰を上げたが、ふと思いついたように拓也の方を振り返った。「そういえば先日は失礼しました。しつこくアリバイ確認なんかされて不愉快だったでしょう」

「まあ、愉快なものではありませんね」と拓也は答えた。「あの件は何かわかったんですか」

「いいえ、あちらもさっぱりですよ」

でも、といって佐山は続けた。「ひとつ新たな考えが出ているんです。最初の仁科直樹さんが殺された事件ですが、あの事件には共犯者がいたんじゃないかというものです」

「へえ」と拓也は感心した声を出した。「つまり犯人は二人いるということですか」

「いや、そこなんですがね」

佐山は拓也の顔に視線を注いできた。「犯人はひとりや二人じゃない。もしかしたら三人ぐらいいたんじゃないかというのが、新しい説なんです。どうです、面白いでしょう?」

一瞬ぎくりとした。だがそれと同時に、俺の反応を見ているんだ、と拓也は感じた。何かのきっかけで複数犯の可能性に気づいたが、何の根拠もないので探りを入れてるんだ、と。

「それは面白いな。是非今度聞かせてくださいよ」

そんな手に乗るものかと平静を装った。顔色を変えずにいることは、それほど難しいことじゃない。

「ええ、今度是非」

刑事の方もそれまでと全く同じ表情のまま、拓也の前から立ち去った。

5

ＭＭ重工を出たあと、佐山は捜査本部に連絡をとった。康子とミュージカルを観に行った女子社員の話を手短かに説明する。自殺説を疑う材料のひとつにはなるが、決め手といえるほどの証言ではないというのが、谷口の感想だった。佐山も同感である。

「じゃあこれから新堂に合流してくれ。奴は今池袋《いけぶくろ》に向かっている」

「池袋？　何があるんです」

「仁科直樹の大学時代の友人が、池袋で働いている。直樹の部屋にあったスケジュール表から、殺される直前にその友人と会っていることがわかったんだ」

「池袋のどこです？」

「その男が働いているのはサンシャイン・ビルの中だ。おまえと合流することは、これから新堂に連絡しよう。待ち合わせ場所はどこがいい？」

少し考えてから、東急ハンズの前、と佐山は答えた。植木鉢を買ってきてくれと、妻にいわれたのを思いだしたからだ。


佐山が行くと、新堂は東急ハンズの紙包みを持って立っていた。近づいて声をかける。少し疲れの残る笑みを後輩刑事は浮かべた。

「何を買ったんだ？」と佐山は包みを指していった。

「タンス用の蝶番《ちょうつがい》ですよ。洋服ダンスの戸が壊れましてね」

「新しいのを買ったらどうだ」

「そんな金ありませんよ。給料安いのに」

「独身貴族が情けないことというなよ。ところで俺も買いたいものがあるんだ。植木鉢は何階だったかな」

佐山は建物の中に入ろうとしたが、

「もう時間がありませんよ。帰りにしてください」

新堂に腕を摑まれた。

相手の男との待ち合わせ場所は、サンシャイン・ビルの地下にある喫茶店だった。一番隅のテーブルに席を取り、入口に目を向けた。

「今朝はついてませんでしたよ」

おしぼりで顔をぬぐってから新堂がいった。「また別の文具店から荻窪署の方に連絡が入ったんです。事件の前に同型の万年筆を買っていった男がいるってね。都合の悪いことに手のあいている者がいなくて、たまたま居合わせた僕がいく羽目になったんです」

「それはアンラッキーだったな」

「不運ですよ、全く。万年筆に関しては、例の金縁眼鏡の男が買っていったという文具店、あれが本命に決まってますからね」

「で、どうだったんだ?」

「ええ。たしかにいい加減な話ではないんです。男が現れたのは小包が発送された日の早朝八時頃だし、万年筆の型式も同じでした。ただし、青インクは買っていません。それに場所がね」

「どこなんだ？」

「八王子《はちおうじ》の学生街」

ふっと佐山は笑った。学生街の文具店なら、万年筆を買っていく客も多いだろう。

「どんな客だったって？」

「ヘルメットをかぶった男だったといっています。あのあたりはバイク通学している学生も多いから」

「ふうん……」

ヘルメットと聞いて、佐山の笑みは消えた。故意に顔を隠していたのではなかったか。しかし青インクは買わなかったという。

そこまで考えた時、店に一人の男が入ってきた。グレーのスーツを着た、ややバタ臭い顔つきの男だ。店内に目を配るしぐさから、直樹の友人らしいと察しがついた。新堂が立っていって声をかける。やはりそうだった。

金井隆司《かないたかし》というのが男の名前だった。彼の勤める通産省直轄のエネルギー研究所が、このビル内にあるのだという。

「仁科はおとなしい男でね、友人も多い方ではなかったですね。でも気が弱いわけではなかった。何かをする時には躊躇《ちゅうちょ》なく、誰にも相談せずにやる、そういうタイプでした」

金井による直樹評だった。二人は大学の学部が同じで、研究室も隣りだったので何かと親しかったのだそうだ。

「最近でも、よくお会いになっていたようですね」と新堂が訊いた。

「会いました。といってもお互い忙しい身ですから、しょっちゅうというわけにはいきませんがね。彼との付き合いが濃くなるのは、これからの季節でした」

「季節？」

「ええ。スキーをよく一緒にやるんです。僕も多少自信があるし、彼もうまい。あのスポーツは、技量が接近していないと一緒に行っても楽しめませんからね。じつはこの年末にも、二人で北海道に行く予定をしていたんですよ。そうだ、最後に会った時もその話をしたんだった」

そこまで話して、金井は急に無念そうな表情を浮かべた。親友との楽しかった時間を思いだしているのかもしれない。

「最後にお会いになったのは、仁科さんが亡くなる前の土曜日だそうですね」

新堂が確認した。

「そうです。くわしい日程について相談しようということになったんです」

「その時にお話しになったのは、スキーのことだけですか」

「そりゃあ、多少の雑談はしましたよ。でも会った目的はそういうことでした」

「で、そのスキーの日程はどうなったんですか」と佐山が訊いた。

「彼の方がどうもはっきりしないので、予定がはっきりするのを待つということになりました。さすがに開発企画室長というポストだと、忙しいようですね」

金井は直樹の会社での立場を、彼の口から聞いてはいないようだった。現実には、忙しくてスキーの日程も組めないということはなかったはずだ。

「ああ、それでですね」

何かを思いだしたように金井は口を開いた。「仁科が大阪で泊まっていたのは、大阪グリーンホテルでしたよね。じつは彼が殺された夜、僕はあのホテルに電話をかけているんですよ」

「電話?」

新堂と佐山は同時に声を出した。喫茶店のウェイトレスが怪訝《けげん》そうに見た。

「何時頃ですか」と新堂が訊いた。

「あれはたしか」と金井は少し上を見て、「十時頃でしたね。なぜ電話したかというと、今後の予定がその日にはわかると彼がいったからなんです。だから本当は、彼の方から電話してくれるはずでしたが、もし忘れていたら電話してほしいとホテルの番号を聞いていたんです。それで当日、やはり電話がないのでこちらからしたというわけです。十時にはホテルに戻っているはずだとも聞いていましたのでね。ところが彼は外出中ときている。忙しいのだなと判断して、結局それっきりにしました」

引っ掛かる話だなと佐山は思った。スキーの予定を立てるだけなら、大阪から帰ってきてからでもいいのではないか。それとも余程急いでいたのか。そのあたりのことを尋ねると、

「たしかに早く日程を決めたかったことは事実です」と金井はいった。「各方面の予約をする関係がありますからね。絶対にあの日のうちに、ということでもなかったのですが、早ければそれに越したことはありませんでした」

「なるほど」

何となく釈然としないが、それ以上この件について金井に訊くこともなかった。

このあと直樹が殺された事件についてどう思うか、新堂が質問した。金井は大きく息を吸い、辛そうに顔をしかめてから口を開いた。

「奴に屈折したところがあったのは事実ですよ。今度の事件にしても、そういうところが災いしたのかもしれない。そう考えると、余計にかわいそうになりますね。だって、奴が屈折したのは、奴のせいじゃないですから」

金井と別れたあと、二人の刑事は再び東急ハンズに戻った。植木鉢を買うことは忘れていないのだ。しかし佐山の頭の中には、金井の話が何度も出てくる。

「これなんかいいんじゃないですか」

人の頭ほどの植木鉢を持ち上げて新堂がいった。一緒に探してくれているのだ。しかし佐山が、「ああ、うん」と生返事をすると、苦笑して植木鉢を下ろした。

「例の電話の件ですか」と彼はいった。

「うん。どうも気になるんだ。ちょうどあの日というのが気に入らない」

「こちらから電話しなかったら電話してくれ……か。まるで自分の身が危ないことを知っていたような話ですね」

この意見に、思わず佐山は新堂の顔を見た。はっとさせられたからだ。なるほどその通りだった。まさか虫の知らせがあったとも思えないが。

「いや、しかし……」

何か得体の知れないものが胸の中に広がり始めていた。学生時代、試験の時などに、答えを思い出せそうで思い出せない苦しみを味わったことがある。ちょうどあの時の心境そのものだ。

「もしも、だ。直樹があの夜行なわれることを知っていたとしたらどうだ？」

「まさか。知っていたら逃げますよ」

「そうかな。直樹は犯人と会うことになっていた。そしてその相手に殺される可能性を感じていた……いや、違うな。それだけでは、金井にあんな電話をさせたことの説明がつかない。電話をさせるメリットは何だ？」

佐山の目は植木鉢に向いていたが、実際何も見てはいなかった。気持ちが苛立つ。頭が熱くなってくる。

「佐山さん」と新堂がいった。「突飛なことをいってもいいですか」

「構わないさ。俺なんかいつもだ」

「電話をさせたのは、直樹が何かのアリバイ工作をするためじゃないですか」

持っていた鉢を、佐山は落としそうになった。あわてて抱え直してから、

「何だって？」と問い直した。

「アリバイですよ。その時間に電話があったとなれば、後でアリバイの証明になる。小説なんかでよくある手だ」

「何のために直樹がそんなことを？　殺されたのは、奴の方……」

いいながら心臓が弾んだのを佐山は感じた。改めて新堂の顔を見る。

「奴が犯人を殺すつもりだったということも考えられるわけか」

「ところが結果は逆になった」

頷いて佐山は宙を見据えた。何かがわかりかけてきた。

「署に戻ろう」

「植木鉢はいいんですか」

「洗面器でも使っときゃいいさ」

建物を出ると、二人は池袋駅に急いだ。相変わらず歩道は人がいっぱいだ。その間を縫うようにして歩きながら、佐山は話を再開した。

「直樹がそういう計画を立てていたとする。すると死体を運んだのは直樹の仲間ということになる。本当は相手の死体を運ぶつもりだったが、番狂わせが生じたんだ。それでも予定通り運んだのはどういうわけだ？」

「共犯者にとっては、番狂わせではなかったのですよ。最初から直樹を殺すつもりだった。違うのは荷物の中身だけで、ベルト・コンベアは予定通りに動いた――」

「なるほど、ベルト・コンベアか」

直樹が相手を殺すために準備したと思った罠《わな》は、じつは彼自身を落とすための罠だったのだ。

「もしそのベルト・コンベアを準備したのが直樹なら、死体を運んだ車も奴の周辺から出てくるかもしれないな」

「当然そうですね。直樹自身の車はすでに調べてありますから、それ以外に車があるかどうかですよ」

その言葉を聞いた瞬間、佐山の脳裏にある光景が蘇った。豊橋に行った時のことだ。彼は突然足を止め、道の真ん中で立ち尽くした。

「どうしたんですか」と新堂が心配そうな顔をした。

「あれだよ、あのバン」

「バン？」

「山中製材にあったやつだ。直樹が自家用車代わりにしていたという」

あっと新堂も口を開けた。

「のんびり歩いてる場合じゃないな」と佐山はいった。

「立ち止まってる場合でもないですね」

「署に電話だ。急げ」

佐山の声に、新堂は電話ボックス目がけて駆けだした。チラシを配っている若い男にぶつかり、白いチラシが風に舞った。

6

十二月に入って最初の土曜日、拓也は昼過ぎになって仁科邸を訪れた。買い物に付き合うよう、星子からいわれたからだった。いつもは、指定された場所に行くと、そこに星子がポルシェで現われるというスタイルだったが、今日は屋敷に迎えに来るようにという指示だったのだ。

　門のところに取り付けられたインターホンで名乗ると、入ってきてくれということだった。両側に針葉樹を見ながら、玄関に向かって歩く。屋敷に近づいたところで、二階の窓から星子が顔を出した。

「今から着替えるところよ。あなた、下でお茶でも飲んで待っててちょうだい」

「わかりました」と拓也は答えた。

　玄関のドアを開けようとしたところで、横から人の近づいてくる気配がした。顔を向けると、宗方がテニスのラケットを持って歩いてきた。仁科家の東側には、簡単なコートを作ってある。

「頼もしき騎士のご登場だな」

　宗方は金縁眼鏡を人差し指で押し上げた。「わがままを聞くのも結構だが、歯止めも必要だね。君のアプローチのしかたは申し分なかったが、詰めが甘い。ジャジャ馬を乗りこなすには、ニンジンと鞭だ」

「経験者は語る、ですか」

「いや、幸い沙織はそれほどでもなかった。だから君には同情するよ。一緒にお茶でもどうだい」

「いいですね」

屋敷に入ると、テラスに面したリビング・ルームで向きあって座った。こうして見ると宗方はこの家によく融けこんでいる。婿養子ではないのだが、まるでここに長年住んでいるようだ。手伝いの女性に紅茶を入れるよう指示したが、どういう種類の葉があるのかも熟知しているらしかった。

「沙織さんはどちらに？」と拓也は訊いた。

「そのへんにいるだろう。『三時のおやつ』には戻ってくるんじゃないか」

「休日はいつもこちらで？」

「まあね。お父上のご機嫌とりも兼ねて」

そういってから宗方はじろりと拓也の顔を見た。「君もそういうことを忘れないようにしなくてはね。たしかに今は専務のお気に入りだ。しかしそれを裏切っては、どうにもならないからな」

「裏切った覚えはありませんが」

拓也がいった時、紅茶が運ばれた。ロイヤルコペンハーゲンのティーカップから、香りの良い湯気が立ちのぼっている。

手伝いの女性が姿を消すのを待って、拓也は再びいった。

「何かご不満でも？」

すると宗方はティーカップを持ち、香りを楽しむようにしてひと口飲んでから、

「ナオミの件」

と低い声でいった。「つまらないことを嗅ぎまわっているそうじゃないか」

「あれですか」といった声が少しかすれた。拓也は安全課以外に、工程設計課、保全課などにも当たっていた。

「なぜ宗方さんの耳に？」

「専務からいわれたんだよ。注意するようにね。警告しておくよ、余計なことはやらない方がいい。この警告は一度きりだ。二度はない」

宗方は拓也の反応を観察するような目をした。ここにいるのは宗方ではないと拓也は思った。仁科敏樹が彼の目を通じて自分を見ているのだ。

「わかりませんね」と拓也はいった。「なぜあの事故を調べてはいけないんですか。もちろん僕は、あの事故は単なる作業者のミスだったと信じていますよ。でもだからこそ、その処理のしかたに不満を感じたんです。各方面の報告書を見ると、無難に済ませようとする姿勢が明白ですよ。ロボット技術者としてプライドを持っているから、こういう中途半端なごまかしは我慢ならないんです」

仁科敏樹に対する反抗ではないことを、巧みに強調したつもりだった。それにあながち口から出まかせでもないのだ。

宗方は拓也の力説を嘲笑するように、ふっと鼻を鳴らすと、

「技術者のプライド」

と、拓也の言葉の一節を繰り返した。「虚しい言葉だな」

「なぜですか、あなたも技術者でしょう?」

するとと宗方はいったん顔をそらし、テラスの外の植物に目を向けた。

「やむをえないな」と彼は呟いた。「君には話しておいた方がいいようだな」

「何をですか」

拓也がいうと、宗方は再び彼の方に向き直り、そして足を組んだ。

「あの事故はね、作業者のミスなどではなかった。詳しいことは今も尚不明だが、どうやらナオミに原因があったのだよ」

「まさか」

「もちろん確かな証拠があるわけではなかった。しかし証拠が出てからでは遅い。そこで早急に各方面に手を回したというわけさ。あの時には、僕もあちこち走り回らされたよ」

宗方は冷ややかに笑った。

「なぜナオミに疑いがかかったのですか」と拓也は訊いた。

「事故の直後、きわめて厄介な証人が現われたんだ。死んだ作業者と、昼夜交代でロボットの見回りをしていた男だよ。その男によると、自分が作業中にも同様の事故が起こるところだったというんだな。ちょっとしたトラブルが起きたので、ナオミを停止状態にして作業しようとしたところ、突然動きだしたらしい。危うく難を逃れたが、一つ間違えば死んでいたのはその男だったのだよ。実際の事故が起きる十二時間前のことだ」

「信じられないな」

拓也は首をふった。「でも、その証言がなぜ公にはならなかったんですか」

「運が良かったからだよ」と宗方は真面目な顔をしていった。「もしその男が安全課あたりに申し出ていたなら、いくら専務でもどうすることもできなかっただろうね。しかし幸い彼が行ったのは、開発企画室長のところだった」

「室長のところ？」

なぜ直樹のところなどに行ったのだ。

「あのロボット工場は、開発企画室の最近の仕事でも一番の目玉だった。それで直樹室長も時々ようすを見に行ったりして、作業者と顔見知りになっていたらしい。その男も重大なことなので誰に話していいかわからず、一番よく知っている人のところに相談しに行ったというわけだ」

「じゃあ室長は事故の真相をご存じだったのですか」

だとすると話が合わないと拓也は思ったが、

「そのとおりだよ」

宗方はあっさりと肯定した。「そして直樹室長は専務に相談されたというわけだ。まさに非常事態だよ。専務にとって、あのロボット工場でそういう事故があったというのは、きわめて都合が悪かった。ロボット事業は、専務が前面に立って推し進めてきたことであるし、あのオール・ロボット工場は、その功績の象徴でもあったからね。今後社長の椅子に座り、独裁政権を手に入れるためにも、ここでつまらない汚点を残すわけにはいかなかった」

「そこで真実を隠滅したのですね」

「苦労させられたよ」と宗方はいった。「まずは証人の口封じだね。その男にしても、ロボットの不備に気づいていて報告を怠ったわけだから、割りに素直にこちらの指示に従ったよ。さらに念を入れて、職場を変えたしね。あとは各方面への根回し。警察も、作業者の不注意となれば、そうしつこくは調べてこなかった。何度もいうようだが、二度としたくない苦労だね」

宗方は、まるでその苦労を懐かしむような顔をした。その時の自分の働きを思いだし、満足しているのかもしれない。

「まあそういう事情だから」と彼は少し声のトーンを落として、「変なことはしない方が身のためだよ。たとえ技術者としてのプライドからしていることでもね」

返すべき言葉が見当たらず、拓也は黙っていた。それをどのように解釈したのか、宗方はゆっくり頷くと、

「そのプライドは次の研究に生かしてくれればいいよ。もうあんな事故はこりごりだからね」

といった。

「僕の作るロボットは完璧ですよ」

「鉄の塊りに変わりはないさ。何といったかな、君が研究発表で披露した……」

「ブルータス」

「そう。あれにしたって同じだ。心を持ってるわけじゃない」

「心なんか不要ですよ」

拓也がいった時、廊下から星子の声がした。途端に宗方の顔が柔和なものに変わった。

この日、星子に最初に連れていかれたのは、銀座《ぎんざ》の画廊だった。部屋に飾るための絵を見つけるのだという。星子は例の直樹の部屋を、徹底的に改装するつもりのようだった。すでに壁紙を張り換えたという話だ。

「わけのわからない絵がいいのよ」

どういう絵が好みなのかと拓也が訊くと、星子はこう答えた。

「人が見た時に、ああこれは何とかの絵ですね、奇麗ですね――なんてことをいわせないような絵がいいの。この絵に関する話題は避けようと、皆が思っちゃうような絵が理想的だわ」

画廊の中を見て回りながら、星子は解説した。

「でもそうすると、あなたの部屋を訪れた人は苦労しますね。話題を一つ削らなきゃならないし、その絵の方を見ないようにしてなくちゃならない」

彼女の後をついて歩き、ぼんやりとした視線を壁に飾られた絵に注ぎながら拓也はいった。絵には興味がない。こんなものを眺めて、何が嬉しいのかと思う。

「それが狙いなのよ。そうやって相手を圧迫するの。そうすれば何ごとにつけ、こちらがイニシアティブを握れるというわけよ」

鼻を少し膨らませた彼女を見て、

「なるほど」

と拓也は感心した。本当に感心している。たしかにこの女は仁科敏樹の娘だ。

散々迷った挙句、星子は拓也の部屋の窓枠ほどもある巨大な絵を購入した。それはたしかにわけのわからない絵だった。まず絵全体が、茶色っぽい部分、白っぽい部分、赤っぽい部分、緑っぽい部分に分けられており、そのそれぞれのエリアに生物とも非生物ともいえないような物質がびっしりと詰まっていた。エリアによって多少特徴が違うようだが、そこにどういう意味があるのか、少なくとも拓也には不明だった。何を描いたものなのかもわからない。細胞質内におけるミトコンドリアの大移動だといわれれば、納得してしまいそうな絵だった。

「いったい何の絵なんですか」

たまらずに星子に訊いてみた。

「知らないわよ」と彼女は明瞭に答えた。

画廊のあとは星子御用達《ごようたし》のブティックに行き、約二時間迷って毛皮のコートを買った。拓也にとって意外なことは、その二時間の間、彼女は一度も彼に相談しなかったことである。これ似合うかしら、の一言もなかった。だから拓也は殆ど無言で、ブティックの隅にあるソファに座っていた。

そしてそこで彼が考えていたのは、星子のことではなく、先刻宗方から聞いた話のことだった。

あの事故は作業者の操作ミスではなかった——。

証人がいたというのだ。

そのことも信じがたいことだが、何よりも気になるのは、直樹が事故の真相を知っていたということだった。それならばなぜ、改めて調べ直そうとしたのか。

不可解だと拓也は思った。直樹の行動の意味がわからなかった。いや、先程聞いた話の中にも、まだ釈然としないものがある。それはいったい何なのか？

そんなふうに考えながら、二時間を過ごしたのだ。

ブティックを出ると、近くにあるフランス料理店で食事をした。ここも星子の馴染《なじ》みの店らしく、料理長が途中で挨拶にやって来た。いかにもそれらしく太った男だった。彼はいくつかの世辞を並べたあとで拓也にも挨拶し、

「こちらはお嬢さんの？」

と意味ありげな目を星子に向けた。彼女は料理長に微笑みを返すと、

「いいでしょ、たまには」

と答えた。彼女が拓也のことをそんなふうに紹介したのは、これが最初だった。

星子はフォークとナイフを動かしながら、アメリカ留学中に向こうで食べた数々の不味《まず》い料理の話をした。相当恨みが残っているのか、話の種は尽きないようすだった。彼女の話はデザートの時まで続いた。拓也は決して話の腰を折らないように気をつけている。そんなことをしたら、途端に不機嫌になることを知っているのだ。

「ところで例の事件のことはどうなってるの？」

食事が終わってから彼女が訊いてきた。「全然犯人の見当もつかないみたいだけれど」

「さあ……とにかく捜査が難航しているようですね」

「何を手間取ってるのかしら」

「いろいろでしょう。室長の行動には不可解なところも多かったみたいですし」

これは警察の見解ではなく、自分の感想だ。思わず口に出てしまったのだ。

「不可解？　そんないいものじゃないわよ」

星子は尖った声でいった。「あの人は単に仁科家に逆らってただけよ。それ以外にはなにもない、空っぽの人よ」

「相変わらず厳しいですね」

拓也は苦笑したが、その瞬間にふと思った。事故の証人が直樹のところに相談に行ったあと、なぜ直樹はすぐに敏樹に報告したのか。星子のいうように、何事につけ反抗していたのだから、そこでも別の手段を使うのが直樹のやり方ではないのか。

先程から釈然としないのは、このことが引っ掛かっていたからだと思い当たった。

「何よ、突然黙りこんで」

気がつくと目の前で星子が睨んでいた。

「いや、何でも……。そろそろ出ましょうか」

「いわれなくても出るわよ。次は『華屋』、イヤリングを見るんだから」

立ち上がると、さっさと出口に向かった。

『華屋』は銀座通りに面した、有名宝石店だった。洋服やバッグ類も売っているが、メインは何といっても、各国の有名店から集められたブランド・ジュエリーだ。

星子は店に入ると、さっさと奥に進んで店長らしき男と話している。贅沢なものだ、というよりも、拓也には馬鹿げているとしか思えなかった。こんなくだらないものに、何百万とかけて何が楽しいのか。

例によって星子は勝手にイヤリングを選んでいる。拓也にとっては、それがかえって有難かった。

絵画を見た時と同じように、陳列ケースの中に視線を走らせていく。絵よりも少し興味があるのは、その価格にひかれるからだ。こんな石ころが一千万円、馬鹿げている。

おや、と拓也は目を止めた。そこに見たことのあるブローチが飾ってあったからだ。金色の花びら、中央にダイヤモンド。康子の部屋で見たものと同じだ。

価格を見る。八十七万円――。

この店では高くない。しかしふつうのOLが簡単に買える品でもない。

「何をぼんやり見てるの」

突然、星子に声をかけられた。ぎくりとする。彼女は拓也が見ていたケースの中を覗きこんで、「ショーメのブローチね。これがどうかしたの?」といった。

「いえ別に。ショーメっていうんですか」

「そうよ。ナポレオンが贔屓《ひいき》にした、フランスで最も歴史のある店よ。あたしはあまり好きじゃないけど」

いってから彼女はケースを軽く叩いた。「そういえば今年パパがフランスに行った時、ショーメに行ったとかいってたな。あまりセンスの良くないネックレスを買ってきてくれたわ」

「専務が？」

声が大きくなった。「本当ですか」

「本当よ。どうかした？　それよりもう出ましょう。この店も、もうだめだわ。いいのが全然ないのよ」

星子が運転する車で、マンションまで送ってもらうことになった。食事の時にワインを飲んでいるので飲酒運転なわけだが、彼女は全く気にしていないようすだった。

「今日はありがとう、楽しかったわ」

ハンドルを切りながら星子がいった。拓也は少し驚いて彼女の横顔を見た。こんなふうに礼をいわれるのも初めてのことだった。

マンションに着くと、今度は拓也が礼をいう番だった。そして、おやすみなさいといった。

「おやすみなさい。あっ、ちょっと待って」

車のドアを開けようとする拓也を引き止めると、星子は右手を彼の首に回し、何のためらいもなく唇を重ねてきた。柔らかいが、性的魅力に乏しい感触だった。

「今日のご褒美《ほうび》よ」

彼女は唇を離してから笑った。気取った中に、ほんの少し恥じらいが感じられる。今までで一番いい表情だと彼は思った。

「それじゃおやすみなさい」と拓也はいった。

「ええ、おやすみなさい」

拓也は車を降りたが、「ああ、ちょっと」と振り返った。

「専務の血液型をご存じですか」

「血液型？」

彼女は眉を寄せた。「どうしてそんなこと訊くのよ」

「ちょっと……ご存じですか」

「知ってるわよ。たしかＡＢよ」

「ＡＢ型……」

「今度キスの後にそんなことを訊いたら承知しないわよ」

星子はそういうと、勢いよくアクセルをふかせて車を発進させた。


部屋に戻ってドアを閉める。

その瞬間、拓也は笑いだした。実際腹の底から、こらえようのないおかしさがこみ上げてくるのだ。

何てことだ、と彼は思った。康子は仁科敏樹とも出来ていやがったんだ。子供の父親は、あの爺いだったのだ——。

「やっとわかったぜ、康子。おまえがなぜ堕ろさなかったのか」

そりゃあそうだ、と思った。子供は敏樹の子かもしれないのだ。そうなると、充分なほどの養育費を得ることができる。うまくすれば仁科家にもぐりこむことも可能なのだ。

先日の刑事の話が思い出される。康子の父は浮気相手に金を払い続け、家庭を壊した。康子はその怨念を、自分が逆の立場になることで晴らそうとしたのではないか。

「ギャンブルだよ。たしかにギャンブルだ」

しかし、とすぐに拓也は思い直した。果たしてギャンブルだったのか。敏樹はABで康子はOだ。となると、AかBが生まれれば、敏樹の子だと主張することも可能なのではないか。そしてOの場合は拓也に迫ればいい。結果的には子供の血液型はBだった。

また笑いが出てきた。何てことだと思った。橋本や直樹はAだが、康子はあの二人のことは最初から問題にしていなかったのだ。

死に損だぜ――そう考えると、またおかしさが蘇《よみがえ》った。

だが――。

直樹は敏樹と康子のことを知らなかったのだろうか。拓也があのブローチから気づいたように、やはり彼も知っていたのではなかったか。

もしそうだとすると事情は変わってくる。直樹は仁科家を継ぐ者が生まれることを恐れたのではないか。彼の野望は仁科家を奪い、滅ぼすことだったのだから。

それにもう一つあった。直樹は敏樹を憎んでいた。その男と、一人の女を通じて繋がったというのは、到底我慢できない状況だったのではないか。

「いろいろあった、ということか」

拓也は床に寝転がり、天井を見て呟いた。今度は笑いはこみ上げてこなかった。

7
ノックをする。一拍置いてから、「どうぞ」の声。いつもの癖だ。

宗方はゆっくりとドアを押した。敏樹は机に向かい本を読んでいるところだった。顔を上げ、老眼鏡を外す。

「わかったか」と敏樹は訊いた。低く、よく響く声だ。

「わかりました」と宗方は答えた。

「何だった?」

「Bです」

「B……たしかか?」

「知り合いの新聞記者に聞きました。間違いないと思います」

敏樹は椅子に深くもたれかかると、瞼を閉じた。そのまま黙っている。宗方はその場に立って、次の言葉を待った。

「つまり」と彼は目を閉じたままいった。「私の子である可能性が強いわけだ」

「正確にいうと、子だった……ですね」

抑揚《よくよう》のない口調で宗方はいった。敏樹は目を開けると、そんな娘婿をじろりと見て、

「そう。そういうことだな」

感情を殺した声で答えた。「今度の事件で、二人の子供を亡くしたことになるわけか」

「お引き取りになる、おつもりだったのですか」

「男の子だったらな」と敏樹はいった。「たとえ女の子でも、出来るだけのことはするつもりだった。だからもし子供が出来たらすぐに教えてくれと、康子にはいっておいたのだが」

「彼女自身にも、専務のお子さんだという確信がなかったのではないですか。産んで、血液型が一致することを確かめたら、申し出るつもりだったと思いますね」

「もし一致しなかったらどうするつもりだったのだ？」

「その場合は一致する男の方に頼るつもりだったのでしょうね。だから彼女にとっては賭けだったのじゃないでしょうか」

「なるほど。しかしそういう賭けをしている女が、自ら死を選ぶとは思えんな」

「おっしゃる通りです」

「やはり、一連の事件に関係していたのか」

敏樹が、「やはり」といったのには理由がある。直樹が殺された日、康子が彼に呼ばれて大阪に行ったという話を、敏樹は彼女の口から聞いていたのだ。彼女は事件の日に休暇をとっていたので、そのことで問いつめたら白状したわけだ。だが彼女は、自分は事件には関係ないと主張した。呼ばれた喫茶店で、ずっと待っていたということだった。

そこで宗方が大阪までそれを確かめに行ったのだ。新大阪の地下にある『びいどろ』という店で聞いたところ、当日たしかにそういう女性客がいたということだった。

康子によると、敏樹と彼女とのことについて話があると直樹にいわれたらしい。つまり直樹は二人の関係に気づいていたのだ。

敏樹は宗方を見た。

「康子の身の回りから、私のことは出てきとらんだろうな」

「今のところは大丈夫ですが、ひとつだけ拙《まず》いものがありました。ショーメのブローチです。やはりプレゼントは現金にされるべきでしたね」

「あれか」

敏樹はげんなりした顔を作った。

「まあしかたがない。とにかく引き続き情報収集を頼む。ただし私の名前を出さずにな」

「わかっています」

「それから、例の事故のことだが、末永に釘を刺したか」

「ええ。納得させました」

「それならいい。あいつは利口な男だが、頭が妙な方向に働くと厄介だ」

そして敏樹は行っていいというように掌をふった。

8

白い煙が、すすけた天井に向かって上っていく。谷口が吐きだした煙だ。あちらこちらで煙草を吸うので、会議室内は濁った空気でいっぱいだった。

重苦しい沈黙と異様な熱気。だが部屋を出ていく者はいない。こつこつこつ、誰かが机を指で叩いている。

カチャッと戸の開く音がした。皆の視線がいっせいに集まる。部屋に入ってきたのは、手洗いに行っていた若い刑事だった。ふうーっと吐息をつく音。若い刑事は申し訳なさそうな顔で自分の席に戻った。

佐山は谷口の斜め前で、自分の爪の先を見つめていた。知らない間にずいぶん伸びている。この前切ったのはいつだっただろう。

廊下を歩く音が聞こえてきた。急ぎ足だ。来たな、と佐山は思った。

勢いよくドアを開けて、新堂が入ってきた。脇目もふらずに谷口のところに行く。手にした書類を机に置いていった。

「青い羊毛繊維が見つかりました。それから髪の毛が五本、いずれも仁科直樹のものと一致します」

おお、と捜査員たちの口から歓声が漏れた。

豊橋にある山中製材のバンを、鑑識で調べた結果が今日出てきたのだ。新堂の言葉は、佐山の推理が的中したことを物語っている。

報告書を見て谷口は大きく頷いた。そして上目遣いに佐山を見て、にやりとした。

「ざまあみろって顔だな、おい」

「素直に喜んでいるんですよ。ヤマカンが当たるというのは気持ちがいい」

佐山も笑って返した。

黒板が出され、その前に谷口が立った。そして左から少し間隔をあけて、大阪、豊橋、東京と書いた。それから今までにわかったことを整理しながら説明し、大阪の下に仁科、東京の下に橋本と書き入れた。

「仁科は仲間と共謀し、ある人物を殺害しようとしたのではないかというのが現在考えられることだ。バンを用意したり、不自然なほどアリバイを作っていたのも、その一環だといえる」

「豊橋のバンというのは、簡単に盗みだせるものなんですか」

ある刑事が質問した。谷口は即座に答えた。

「インドア・ロックした時のことや、鍵を取りに行くのが面倒な時のことを考えて、予備のキーを後ろのバンパーの裏にボルトで固定してあったんだ。だから事情を知っている者ならば問題ない」

当然直樹もそのことは知っていたはずである。

谷口は続けた。

「そういう計画を立てたが、実際に殺されたのは直樹の方だった。おそらく共犯者に裏切られたのだろう。そして直樹自身が立てた計画に沿って、奴の死体は大阪から東京に運ばれたんだ。さて問題はその計画だが、これについては佐山から説明してもらう」

彼に代わって佐山が立ち上がった。会議室を見回してから、話を始めた。

「仁科直樹は、かなり意識的ともいえる方法で、当日午後六時までのアリバイを作っています。ホテルで部屋の場所を指定したりしたのも、印象を深めるためだと思うのです。また、その夜の十時に友人から電話が入るように工作をしてもいます。つまり直樹は、六時から十時までの間に何かをやろうとしたのです。それがつまり誰かを殺して、その死体をある場所に運ぶということでした。そのために使う予定だったのが、例のバンです。ここで仁科が最初に死体を運ぶべき場所をA地点とします。仁科は鉄道なりを使って大阪に戻る。一方共犯者は、A地点からB地点――これはおそらく厚木だと思いますが、ここまで死体を運び、引き返す。そして最後の共犯者は厚木から東京まで運ぶというわけです」

「この最後の共犯者が橋本だ」と谷口がいい添えた。

佐山は頷いて、

「ところが結果は仁科が殺され、死体が東京まで運ばれるということになりました。共犯者二人の裏切りがあったからだと思われます」

「その仁科が殺そうとした相手、それから橋本以外のもう一人の共犯の目星について、何か手がかりはあるのですか」

狛江署の刑事が訊いた。

「残念ながら、今お話ししたことも推理の段階で、物的証拠といったものはありません。しかしこの推理に基づけば、限定することは可能です」

そういって佐山は黒板の方を向いた。「もう一人の共犯者も、A地点で死体を受け取るまでのアリバイを確実にしておく必要があります。ということは、A地点からそれほど離れたところにはいなかったはずなのです。そのA地点ですが、仁科直樹は六時から十時までの間に、死体を運んで戻ってくるつもりだった。ということは距離的に考えて、名古屋が精一杯じゃないでしょうか」

名古屋を出したのには理由がある。末永のことが頭にあるからだ。ただ実際には、殺人を犯して大阪、名古屋間を往復するとなると、四時間では苦しい。この点については、計画段階で直樹自身も時間的なミスをしていたのではないかと佐山は考えている。谷口は何もいわないで聞いている。

「当日、名古屋付近にいた者が怪しいわけか」

佐山に質問した狛江署の刑事は、納得したように頷いてから、「直樹を殺した人間については、そういう限定はできないのですか」

「今のところは」と佐山は答えた。

「それが雨宮康子とは考えられませんか」

この質問は、谷口に向かって発せられたものだった。

「そうかもしれない」と谷口は座ったままで答えた。「あの女は当日会社を休んでいるしな。しかし女の力では無理だという説もある」

皆が頷いた。

ここで谷口は立ち上がった。そして部屋を見回していった。

「今述べてもらったのは一つの推理で、当たっているかどうかは不明だ。ほかの可能性も考える必要があるだろう。しかし誰かが豊橋にある山中製材のバンを使って、死体を運んだことだけは事実だ。そしてそれはおそらく深夜。ではその人物はそこからどうしたか？　別の車を使って、東京まで戻ったのか。朝まで待って鉄道を使ったのか。それとも他の交通機関を使ったのか。この方向から攻めていけば、何かが出てくるように思う」

なるほどいい考えだ、と佐山は思った。末永ならどうしたか？　あの男は名古屋に戻らねばならなかった。しかも……そうだ七時にモーニング・コールを頼んでいた——。

タクシーか——。

豊橋駅前の光景を、佐山はこの瞬間思い浮かべた。

9

一方の手に持った筒の中に、丸棒を挿入する。筒の内径は、百ミリよりも数十ミクロン大きく、丸棒の外径は百ミリよりも数十ミクロン小さい。材質は軟鋼。

人間でも簡単にはできない作業だ。無理に入れようとすると、途中で引っ掛かり、全く動かなくなってしまう。

それをブルータスは簡単にこなす。

指先につけられたセンサーが情報をキャッチして、熟練工のような柔らかい手さばきを見せるのだ。

作業が完了したところで停止状態にした。ブルータスは動かなくなる。

ほらみろ、これが当然なんだ――。

忠実な家来のように微動もしないロボットを見上げると、拓也は満足して頷いた。そして先日の宗方の話を思いだす。あんなことは例外中の例外だ。ロボットはいつも人間に忠実なのだ。

拓也が実験室でそんなことを考えていると、入口の方から誰かが歩いてきた。同じ職場の、田所《たどころ》という一年後輩だった。拓也がここに呼んだのだ。

「何ですか、内緒の話って」

拓也の隣りに椅子を持ってきて、彼はそこに腰かけた。学歴は高いが、独創性に乏しい研究をしている男だというのが拓也の評価だ。三年前に結婚して以来、家庭を守ることばかり考えている。

「ナオミの事故のことで訊きたいことがあるんだ」

拓也がいうと途端に顔を曇らせた。思いだしたくない話題らしい。

「あのロボットのプログラム関係を担当していただろう」

「はあ」と警戒する目つきになる。

「事故直後は各方面から事情聴取を受けたんだったな」

「ええ、安全課とか。末永さんも、あの時のことはよくご存じでしょう?」

今さら何をいいだすんだという口ぶりだった。

「その時に開発企画室からは呼ばれなかったかい?」

「企画室？」

田所は怪訝な顔をした。「いえ、呼ばれなかったですけど」

「そうか……」

ナオミが誤動作したということはプログラム・ミスがあったということだ。その事実を知っていた直樹が、一度ぐらいは田所から話を聞いてもよさそうなものだった。

「事故の後、あのプログラムはどうなったんだったかな。そのまま使っていたのかい」

「いや、あれは古いタイプで、ナオミで最後です。あのプログラムは、ほかのには使っていません」

ということは事故の後、同タイプのロボットに、こっそりと改良の手を加える必要もなかったわけだ。

「いったいなぜそんなことを訊くんですか」

田所の方から尋ねてきた。当然の疑問だろう。

「いや、ちょっとロボット災害について調べていてね。大したことじゃないんだ」

ありがとう、と拓也は礼をいった。それをしおに田所も立ち上がる。だが少し考える顔つきになって、

「そういえば事故からかなり経ってから、仁科室長が来たことがありましたね」

と拓也を見ていった。

「室長が？　事故のことでかい」

「いえ、そうではないです。今末永さんがおっしゃったように、ロボット災害について調べているんだといって見えたんです」

「何を訊かれた？」

「大したことではないです。稼働中のロボットを作業者がいったん停止させ、マニュアル操作でロボット・アームなどを動かした場合、その形跡が残るかという質問でした。作業者の保全手順などを後でチェックできるかという意味だったようですね。そういうモニターをつければ可能だろうと答えました。現在のロボットにはそんなものはついていませんが」

変な質問だなと拓也は思った。なぜ直樹はそんなことを知りたかったのか。

「あの方も暇みたいだったから、事故防止案か何かを考えてたんじゃないですか」

そういうと田所は、ブルータスのボディをぽんと叩いて去っていった。

変な質問だな——。

田所の姿が見えなくなってからも、拓也は考えていた。直樹の行動には理解に苦しむことが多い。彼は親指の爪を噛みながら、頭の中で不明点を整理してみた。

直樹は康子殺しにおいて、拓也たち以外に共犯者Dを使うつもりだった。そしてそのDの正体を、拓也たちには秘密にしていた。

直樹はナオミ事件の真相を知っていた。そして証人の存在を敏樹に話した。いつも逆らっていた敏樹に、なぜその時は協力したのか。

直樹はなぜ改めて事故のことを調べたのか。

そして最後に——。

「マニュアル操作だって？」

拓也は目を見開き、拳を握りしめた。頭の中で何かが弾けたような気がしたのだ。今まで想像もしなかった考えが頭を支配した。そうだ、そう考えればすべての謎が解けるではないか——。

10

宗方は軽く咳払いをし、唇を舐めた。

「先程、刑事が私のところにやって来ました」

敏樹は顔を上げ、持っていた万年筆を置いた。話を聞こうという姿勢だ。

「直樹さんが殺された日のアリバイを確認しにきたのです。私はあの日、横須賀の工場に行っていたものですから」

「夜は私と一緒だっただろう」

「ええ、しかし夜のアリバイがあってもだめだという口ぶりでした。どうやら警察は、殺した人間と運んだ人間は別だと考えているようです」

「ふん」と敏樹はガラスのシガレットケースに手を伸ばし、「いろいろと考えるものだな、連中も」

「それが仕事でしょうから」

敏樹が煙草に火をつけるのを宗方は待った。最初の一服の時に話しかけられるのを敏樹は嫌

う。白い煙が吐きだされるのを確認してから、

「もう一つ重大なお話があるのです」と切りだした。

「何だ」

「直樹さんが殺される事件があってから、豊橋の山中家とも連絡を取りあっていたのですが、向こうにも刑事が何度か来たそうです」

「当然だろうな」

面白くもないという顔をする。

「ええ。主に少年時代のことを訊いていたということですが、先日、妙なことがあったそうです」

「妙なこと」

「はい。警察が山中家の古い車庫にある車を調べたというのです」

「車を？」

「詳しいことは不明ですが、どうやら直樹さんの死体輸送に使われたのが、あそこの車なのだそうです」

「何だと？」

敏樹は目を剝《む》いた。

「つまり死体輸送用の車は、直樹さんご自身が用意されたということです」

「直樹が？　どういうことだ」

「そのことについて警察がどう考えているのかは不明です。ただ、最悪のことはお考えになっていた方がいいと思います」

「最悪のこと……何か都合の良くないことでもあるのか」

だが宗方はこの問いには即答せず、また一つ咳払いをした。

「直樹さんは、専務とのことで話がしたいといって雨宮康子を大阪にお呼びになったということでしたが、妊娠のことはご存じじゃなかったのでしょうか」

「わからん。知っていたかもしれん」

ぶっきらぼうに敏樹は答えた。

「もしご存じだったとしたら、雨宮康子のことを邪魔な存在だと、お思いになったかもしれませんね」

「おい」敏樹は目を光らせた。「何をいいたいんだ」

宗方は無表情を心がけて続けた。

「直樹さんは雨宮康子を大阪に呼んだ。そしてその前に直樹さんは、何かを運ぶために車を用意しておられたのです」

「直樹は康子を殺すつもりだったというのか。で、その死体を運ぶつもりだったと」

「おそらく共犯者がいたと思います。その者に、雨宮康子を殺す計画を逆用されて、直樹さんの方が被害者になった――」

「くだらん」

宗方の言葉を制するように敏樹は吐き捨てた。まださほど短くない煙草を灰皿の中で潰す。

「そんな馬鹿な話があってたまるか」

「単なる推理ですから、杞憂《きゆう》に終わる可能性も充分にあります。とりあえずお耳に入れておこうと思いまして」

宗方は頭を下げた。部屋を出る前の一礼だ。しかし彼が踵《きびす》を返す前に、

「待て」

と敏樹の声がかかった。「警察はどの程度まで感付いている?」

「わかりません。専務と雨宮康子のことは、全く知らないはずです。しかし例のバンが見つかったことで、直樹さんは単なる被害者でないと思っているはずです」

「まずいな」

敏樹はいった。「何とかしなくてはならん。仁科家の人間が殺人計画に絡んでいるなどと思われたら、せっかく築きあげてきたMM重工と仁科家の名前に傷がつく」

「それからもう一つあります」

「まだ何かあるのか」

敏樹は仏頂面を作った。

「刑事の口ぶりですと、豊橋の車を使った人間は、当日あの近辺にいた人間だと考えているようです。そうなると末永が怪しいということになります」

「末永か……」

敏樹は頬を歪め、しばらく窓の外に目を向けていた。そしてそのままの姿勢で、宗方に指示を与えた。

「しかたがない。あの男は捨てよう。星子との繋がりは、一切消しておいてくれ」

わかりました、と宗方は再度頭を下げた。

「やり直しだな、何もかも。後継ぎのことも考えねばならん」

敏樹は深いため息をついた。

「横浜のお子さんをお引き取りになることも、お考えになった方が」

「うん、そうだな。それもいい。あの子は今年中学一年だ。この間ちょっと会ったが、なかなかいい面構えをしている」

準備しておいてくれ、と敏樹は宗方にいった。

11

悟郎は枕を両手で抱え、その中に顔をうずめるようにして向こうをむいてしまった。背中が荒く波うっている。

弓絵は彼の肩に手を置いた。しっとりと汗ばんでいるのは、それだけ彼が必死になったからだろう。そしてその汗が湯気になりそうなほど、彼の身体は熱かった。

「いいじゃない」と弓絵は悟郎の背中にいった。「こういうことだってあるわよ」

だが彼は何もいわないし、姿勢も変えなかった。弓絵は少し身体を動かし、彼の背中に頬をつけた。

ほんのかすかだが機械油の匂いがする。さっきシャワーを浴びたはずだ。しかし高校を出てからずっと機械に囲まれて過ごした彼には、この匂いがしみついているのかもしれなかった。

悟郎が何かいった。

だが枕に口をつけたままなので、くぐもってよく聞こえない。「えっ、何?」と弓絵は少し顔を起こした。

「ごめん」と彼は枕から顔を離していった。「笑っちゃうよな」

「笑わないわよ」と弓絵はいった。「時々あることだって、何かの本で読んだことあるもの。気分が変われば大丈夫よ。だから気にしないで」

悟郎は枕を離し、その代わりに自分の頭を抱えた。そして髪の毛をくしゃくしゃと掻きむしると、

「ごめん」と、もう一度呟いた。

「もう謝ったりしないで」

弓絵は彼の背中に唇を触れさせてから、ゆっくりと瞼を閉じた。

ホテルへ、と彼がいいだしたのは、今夜食事を終えてからだった。弓絵が顔を上げて彼を見ると、

「いいんだ」と鼻の下をこすった。「変なこといったな。謝るよ」

テーブルに視線を落とし、弓絵は考えた。それは少し決心のいることではあったが、こうい

う再出発があってもいいような気がした。だから、「いいわ」と答えたのだ。

悟郎は息を止めたみたいだった。それからゆっくりと吐きだして、「いいのかい」と訊いてきた。

弓絵は頷いた。

しかし彼らにとっての再出発は、あまり順調にいったとはいえなかった。服を脱ぎ、ベッドに入ってからも、悟郎のペニスは一向に硬くなってこなかったのだ。彼は息を弾ませて弓絵の首筋を吸い、少し小さめの乳房を揉んだ。彼女のヴァギナに触れもした。しかしそれでも彼のペニスは性交が可能な状態にはならなかった。弓絵は思いきって、自分から指をさしのべてみた。それは少年のもののように小さく、マシュマロのように柔らかかった。彼女が触っていると、わずかに反応を示しかけた。それで悟郎も期待を持ちかけたようだが、すぐに元の状態に戻ってしまった。彼は途中で諦めたのか、弓絵を口で愛撫しようとした。「いいのよ」と彼女はいった。どちらかが一方的に奉仕するという形で、この夜を終えるようなことはしたくなかったのだ。

いいのよ、といわれて彼は傷ついたのかもしれない。その途端に枕を摑み、向こうをむいてしまったのだ。

「あのさ」

悟郎がいった。弓絵は瞼を開いた。「なに?」

「勇二は……こんなことなかったんだろうな」

弓絵は黙っていた。すると彼はまた、「ごめん」といった。「奴のことなんかいうつもりじゃなかったんだ。どうかしてるんだよ俺は——」

「一度だけあったわ」

弓絵がいうと、悟郎の肩がぴくりと動いた。「最初の時。彼はそれまで自信満々みたいな顔してたくせに、いざとなったら出来なかったの。その時も二人してホテルのベッドで寝ていたわ。朝まで裸でくっついてて……そうしたら朝になって出来たの」

「朝になって……か」

「そうよ。だからこうして少し眠れば、きっと大丈夫よ」

「でも、そういうわけにもいかないんだ」

悟郎は身体を弓絵の方に向けた。目が赤く充血している。「夜中に実験室に行く用事があるんだよ」

「夜中に？　どうしても行かなきゃならないの」

「うん」と悟郎は頷いた。「どうしてもね」

「そう」

「でもまだ少し時間がある。それまでこうして弓絵を抱いていることにするよ」

悟郎の腕が弓絵の首と背中に回された。彼女は彼の胸に顔をうずめると、そっと目を閉じた。

12

午後十時。佐山と新堂は豊橋にいた。十一月十一日の早朝、つまり仁科直樹が殺された日の翌朝、豊橋駅から名古屋までタクシーに乗った男性客がいたという知らせを受けたからだった。豊北交通、これがそのタクシー会社の名前だった。佐山たちは事務所で、問題の男性客を乗せたという運転手が帰ってくるのを待っていた。その運転手は現在、渥美《あつみ》半島の方まで出ていっているという話だった。

「覚えているでしょうかね、もうひと月近く前ですから」

丸いストーブに手をかざして、新堂が不安そうな顔をした。

「祈るしかないさ。この稼業の人たちは、結構客の顔を見ていたりするんだ。記憶力も捨てたものじゃないし、期待は充分持てる」

「そうですね。俺も祈りますよ」

いってから新堂は、「豊橋駅から名古屋まで……末永でしょうか」と訊いた。

「だと思う。奴しかいない」

率直なところ佐山としては、このタクシー運転手の証言に賭けていた。山中製材のバンが死体輸送に使われたものだと判明したまではよかったが、それ以後の捜査は壁につき当たったままだからだ。特に、直樹に直接手を下したのは誰か――これについては全く手がかりなしだった。関係者のアリバイを洗い直してはいる。しかし何も出てこない。それに何より、関係者の範囲をどこまで広げるべきなのかも見当がつかなかった。

もしかしたら、全く別のところに犯人がいるのかもしれない――。

仁科家内の軋轢《あつれき》、雨宮康子の妊娠、直樹の生い立ち、それら以外に何かがあるのかもしれないのだ。

すべては末永を追いつめてからだ、と佐山は思った。

「風が出てきたみたいですね」

新堂が手をこすりあわせながらいった。窓ガラスの外を、紙屑が舞っている。運転手たちが事務所の戸を開け閉めするたびに、足元を冷えた空気が通りすぎていった。

「十二月だっていうのに、薄い背広だけじゃ寒いはずだ。こんな時に若さを強調することもないだろう」

背中を丸めて震えている新堂を見て、佐山は苦笑した。彼の方は手回しよくコートを羽織ってきたのだ。

「伊達の薄着じゃなくて、単にコートを買う金がないだけですよ。今度の事件が解決したら、古着屋にでも行くかな」

そういって新堂は大きなくしゃみをした。

そんな会話を聞いていたのか、タクシー会社の事務員が、寒いでしょうといって防寒着を出してきてくれた。茶色のジャンパーで、襟のところに毛がついている。ファッショナブルとはいいがたいが、たしかに暖かそうだ。

「助かった。これならゆっくり待てますよ」

防寒着の前をぴったりと合わせ、ダルマのように丸くなって新堂は白い歯を見せた。

「谷口班の色男が台無しだな」

「何とでもいってください。風邪をひいちゃ、元も子もない」

「そんなふうにしてると、五十過ぎのおっさんみたいだぞ」

佐山は笑ったが、すぐにその笑いが止まった。新堂の姿と、今の自分の言葉から、連想することがあったからだ。

「おい、新堂。万年筆を買った客の件はどうなっている?」

「どうにもなっていません。あれ以来手がかりらしいものはないんじゃないかな」

「金縁眼鏡とジャンパーの中年とかいってたな」

「ええ」

「もう一つの方はどうだ、八王子で万年筆を買った若い男の方だ」

「あちらの方は可能性が薄いですからね、あまり詳しくは調べてないんじゃないかな。どうして急にそんなことをいいだすんです?」

「うむ」

佐山はしばらく窓の景色を見て考えてから、「その二人、同一人物じゃないのか」といった。

「同一人物? ジャンパーの男とヘルメットの若い男が?」

「俺は少し気にかかっていたことがあるんだ」と佐山はいった。「現段階での考えからすると、直樹を殺して運んだのには、三人の人間が共謀していたことになる。橋本が殺されたのが仲間割れの結果だとすると、犯人はもう一人の仲間をも殺す必要があるんじゃないか。そうすると殺人万年筆を二本用意し、それぞれのところに送ったとも考えられるわけだ。そして結果的に死んだのは橋本の方だけだった」

「そういえばジャンパー男の方は、青インクを二本買ったということでしたね。万年筆の方は一軒の店で二本も買うと、印象に残って拙《まず》いと思ったのかもしれません」

「高校一年の女の子がジャンパー男をオジサンだといったのは、単に服や眼鏡のセンスからだった。もしかしたら若い男だったのかもしれない」

「変装していたということですか」

新堂は少し腑に落ちないという顔だったが、あっと小さく声を漏らした。

「佐山さん、もしかしたらジャンパーというのはMM重工の作業服じゃないですか。それに金縁眼鏡というのは、製造現場なんかで使用する安全眼鏡じゃ」

佐山は思わず大きく息を吸った。そしてそれを吐きだすと同時にいった。

「若い作業員か」

「それですよ。それなら熱処理工場の倉庫に入って、青酸カリを持ち出すことも可能かもしれない」

ぱん、と佐山は自分の膝を叩いた。それに適合する人物は今のところ浮かびあがっていない。明日からは直樹の周辺にいた、若い作業員をマークする必要がある。

「面白くなってきたぞ」

また新たな闘志が湧き上がってくるのを感じた。

そして午後十時四十分、ついに彼らが待っていた人物が帰ってきた。河田《かわだ》という、四十過ぎの男だった。頭は五分刈りで、木彫りの人形のようにごつごつした顔をしている。いわゆる気っ風の良い男という感じで、佐山は頼もしさを覚えた。

河田は熱い茶を一杯飲んでから、佐山たちのところにやってきた。

新堂がまず内容の確認をした。問題の日に、そういう客を乗せたという記録が残っているが、記憶にあるかどうか。ある、と河田はいった。

「あの日でしょ、覚えてますよ。豊橋の駅前で仮眠してたんですよ。あんな時に客なんて、めったにいませんからね。そうしたら急にフロントガラスを叩いて起こされましてね、少し驚いたな」

「名古屋まで行ったそうですね」と新堂。

「ええ。駅までっていうから、朝一に名古屋から出る電車にでも乗るのかなって思いました」

「車の中で話をしましたか」

「いや、しなかったと思うな」

「若い男だったと聞きましたが」

「私よりは若かったというだけですよ。でも学生とまではいかない」

ここで佐山は新堂に目くばせした。新堂は目で頷いて、

「その客の顔を覚えていますか」と訊いた。

運転手は唸った。

「どうかな、自信ないな」

「写真を見れば思い出しますか」

「思い出すかもしれない。でもどうかな」

　新堂は防寒着の下の背広に手を入れ、何枚かの写真の束を出してきた。いろいろなタイプの男の写真だ。それを一枚ずつ河田に見せながら、「覚えがあったらいってください」と新堂はいった。

最初に河田がストップをかけたのは、警視庁捜査一課の新人刑事の写真だった。その次が無名のタレント、最後に彼が反応を示したのが末永の写真だ。佐山は内心やったと小躍りした。

「この男みたいな気もする」

末永の写真を持って、河田は呟いた。「だけど……いいきれないな」

断言してほしいが、それは無理というものかもしれなかった。これだけでも充分な収穫といえる。

「何かその客の特徴はなかったですか」

写真を片付けてから新堂が訊いた。

「特徴ねえ」

河田は首を捻りかけたが、「あっそうだ。肝心なことを忘れてた」といった。

「何ですか」

「傷ですよ。ここんところ」

河田は自分の左耳を刑事たちに見せた。耳の下に縫ったような痕がある。

「事故でやったんですよ、若い時にね。で、その客ですがね、私とは逆に右耳の後ろに傷があったんです。二センチぐらいだったかな。車を降りる時、何かの拍子に見えたんですよ。あれ、俺と逆だな、と思った覚えがあるんです」

13

あら、と星子が右の耳を触ってきた。ポルシェをマンションの前で止めた時だ。ブレーキ・ペダルから足を離しながら、「何ですか」と拓也は訊いた。

「こんなところに傷があったのね。気がつかなかった」

ああ、と彼は髪の毛をかぶせた。

「いつもは隠してるんですけどね、髪を切ると見えちゃうんです」

「どうしたの、それ。悪ガキ時代の勲章？」

「まあそんなところです」

この傷を作った時のことを思いだした。暗く狭い家、汚れた服――酔った父に突き飛ばされ、柱にぶつかった時に出来たのだ。

人間は平等じゃない。生まれながらにして階層に分かれている。自分は最低のところにいた。そんな人間が一番上まで登ろうとしている。

そのためには人も殺すさ――。

星子の唇を吸ったあと、拓也はポルシェから降りた。星子は運転席に移動すると、「じゃあね」と手をふった。彼も手をふり、車が見えなくなるまでそこに立っていた。

だがその後彼は部屋には帰らず、自分の駐車場まで行った。そしてMRⅡに乗りこむ。エンジンをかけると、たった今ポルシェが消えた道に出ていった。


弓絵が目を覚ますと、ベッドの隣りには誰もいなかった。彼女は身を起こし、「悟郎ちゃん」と呼びかけた。しかしどこからも返事はない。

全裸のままベッドを降りる。傍らのテーブルに、白い封筒がのっていた。その表には、『ごめん　悟郎』と書いてある。

弓絵は激しい胸騒ぎを覚えながら封筒を開いた。びっしりと文字の並んだ便箋《びんせん》が三枚。その一枚目を読んで間もなく、彼女は激しく泣き叫び始めた。


この夜、MM重工実験棟では、他に仕事をしている人間はいなかった。もちろんそのことを知っていたから、拓也はこの場所を選んだのだ。

三階がロボット用の実験室だ。ここの鍵は昼間のうちに持ち出してある。中に入るとメイン電源を入れた。蛍光灯がつき、地の底から響いてくるような音がし始めた。

拓也はブルータスのそばに行き、この忠実な家来の電源も投入した。試しにアームを動かしてみる。鞭《むち》のようにしなやかな動きだ。

横で足音がした。拓也はブルータスのコントローラーを持ったまま、そちらを見た。

酒井悟郎が立っていた。

「やあ」と拓也は明るい声を出した。「よく来てくれたね」

悟郎は無言だ。動こうともしない。じっと拓也の顔を見つめている。

「ここに来て座らないか」

そばにあった椅子を指したが、悟郎は拓也に近づく気はないようだった。その代わり、

「用件は何ですか」

と初めて声を発した。

「用件か」といって拓也はコントローラーを置いた。「とりあえず事実確認だね。間違ってぃるところがあったら指摘してほしい」

どうぞ、というように悟郎は少しだけ顎を動かした。

「それでは始めよう。まず一番目は、君の犯した最初の罪からだ。君は高島勇二を殺した。そうだな？」

悟郎は一瞬だけ目を伏せかけた。しかしもうそんなことはするまいと決めているのか、真っすぐに顔を向けていった。

「ええ、そうです」

弓絵は急いで服を身につけていた。その間にも涙がとめどなく出る。しかし急がなければならないと思った。こういう形で全てを終えるのは嫌だと思った。

僕は勇二を殺した――悟郎の手紙の一節が蘇《よみがえ》る。弓絵の中の何もかもが、その言葉と共に壊れ去っていた。

『……僕は君のことをずっと好きだった。もうはるか昔からだよ。でも僕が会社に入り、勇二と出会い、彼を群馬の実家に連れて帰ってから、僕の夢は少しずつ壊れていった。君は彼と愛しあってしまったのだから。君が今の会社に入ったのも、彼のそばにいたいという気持ちからだったのだろうね。でも馬鹿な僕はそんなことには気づかず、有頂天だった。そして愚かにも君をデートに誘おうとしたりした。何もかもわかったのは少したってからだ。勇二の口から聞いたんだ。君と結婚するつもりだってね』

当時のことを弓絵は今もよく覚えている。一番楽しかった時期なのだ。だからこそ勇二の死は、彼女がそれまでに経験したことのない悲しい出来事だった。

『僕が勇二を憎いと思ったことには、もう一つ理由がある。君も知っているように、僕と彼は昼夜交代で、ロボットだけの無人工場を点検する仕事をしていた。来る日も来る日も機械だけを相手にする、到底人間らしい仕事とはいえない内容だった。当然僕も彼も配置転換を望んでいた。しかし僕が得た情報では、彼の希望だけが聞き入れられるという話だった。その理由は、高島の方は近々所帯を持つらしいから、というものだった。何のことはない。勇二は君という天使を得ることで、人間らしい生活をも保証されることになったのだ。そして僕は何も得ず、いつ終わるともしれない機械との生活を続けることになってしまった。勇二が死ねばいい。僕はそう考え始めた』

ホテルを出ると、弓絵はタクシーを拾った。MM重工へ、という。タクシーの運転手は返事もせずに発進させた。

間に合って、と彼女は祈った。

『だけど僕が彼を殺してしまったのは、そういう嫉妬だけではなかったのかもしれない。正直なところ、僕はあの頃の自分が果たして正常だったのかどうか、自信を持てないでいるんだよ。あれはいったい誰だったんだろう。毎日毎日ロボットだけを相手にしていた男は。そして僕は夢遊病者のように、勇二を殺してしまった』

「高島勇二が見回りをしている時、こっそり近づいてロボットを停止させた。そして高島が不備を直そうとした時、再びロボットを動かして彼を殺した——そういうことだな」

悟郎は黙っている。肯定の意味だと拓也は解釈した。

「動機はあの女の子かい？　まあ少しかわいい娘だがね。君に目をつけ、尾行した時、彼女とデートしているところを見て驚いたよ。その瞬間、自分の推理に確信を持ったね」

それでも悟郎は何もいわない。拓也は続ける。

「しかしそれを知っていた人間がいた。仁科直樹だ。目撃されたのか？」

「工場を出るところを」と悟郎はここで口を開いた。「あの人は偶然、深夜稼働のようすを見に来ていたんです」

「なるほど、ついてなかったということだな」

いったんはこういったが、「いや、見られたのが奴で助かったのかもしれん」と訂正した。「なぜなら奴は君に、全く別のことを指示したからだ。同様の誤動作が昼間にもあったといえ、という指示だ。君としては、いうとおりにするしかなかったわけだ」

直樹の考えはよくわかると拓也は思った。彼は父親のすべてを憎んでいた。したがってロボットの誤動作ということにして、仁科敏樹を苦しめようとしたのだ。

「さらに君にはアメとムチが与えられることになる。アメは職場転換、ムチは直樹の命令に服従すること。君をより支配しやすくするため、仁科直樹は中森弓絵を自分の近くに置いたんだ。とはいえ彼女の話を聞くと、多少は彼女に対する後ろめたさもあったようだがね。ところで仁科直樹には、いろいろな命令を受けたのかい」

だが悟郎は首をふった。

「結局はひとつだけでした」

「雨宮康子殺しか」と拓也はいった。「しかし君も、もう少しずる賢くなる必要があったな。考えてもみろよ、君が高島を殺した件については、事故ということで片付いてるんだ。仁科の命令なんか無視すればよかった」

「でも警察にいわれたら……」

「とぼければいい。証拠なんてないんだ。いいことを教えてやろう。じつは仁科直樹も証拠がないことを気にしていたんだ。だからあの事故について徹底的に調べていたのさ。証拠を見つけるためにね。しかしそんなものはなかったはずだ」

悟郎は無念そうな顔を見せたが、またすぐに元の無表情に戻った。それを見て、拓也はいった。

「君が仁科直樹に命令されたことの詳細を知りたいね」

「詳細？」と悟郎は眉間を寄せた。

「そうだよ。君のタイムカードを見ると、あの日に限って時差勤務になっていたな。昼過ぎに業務が終わるパターンだ。たぶん仁科はそういうことも考慮して、実行日にあの日を選んだのだろうな。会社を出て、すぐに大阪に行ったんだろう？」

悟郎は頷いた。

「新大阪駅前の駐車場に、山中製材と書いたバンがある。鍵は後ろのバンパーの裏につけてある。それを確認したら、五時までに地下の喫茶店に行け。そこで康子が待っているから、使いのふりをしてバンに乗せ、人目のないところで殺せ。そのあとは名神高速に入り、名古屋インターチェンジの近くにある空地にバンを乗り捨てていけ――こういう指示です」

「空地？」と拓也は訊き直した。「駐車場ではなく？」

「ええ」と悟郎は答えた。

どういうことかなと拓也は思った。約束の中継点とは違う。不思議に思いながら、

「しかしいうとおりにはしなかった。どうせ人殺しをするなら、弱みを握られている仁科を殺せばいいと考えたか」

悟郎は黙って頷いた。

「どこでやったんだ?」

「バンを乗り捨てていけと指示されたところです。青い毛布をかぶって待っていたら、あの人が来たんです。俺のことを死体だと思っていたようですね。運転席に座ったところを背後から襲い、持っていたナイロンロープで絞めたんです」

そういうことか、と拓也は合点がいった。悟郎に康子の死体を名古屋インターチェンジの近くまで運ばせ、直樹はおそらく新幹線か何かで悠々と来て、そこから拓也との約束の地点までバンを移動させるつもりだったのだ。本当は悟郎に直接拓也との中継点まで運ばせたかっただろうが、万一ふたりが顔を合わせた時のことを恐れたのかもしれない。

また直樹自身は、新幹線で大阪に戻ると、おそらく十時頃に自分のアリバイ作りをしておくつもりだったに違いない。

これで、拓也たちに話した計画では、直樹の空白時間は六時から十一時だったが、実際には六時から十時に狭《せば》められたことになる。万一、拓也か橋本が捕まって計画を白状した場合でも、直樹は自分は無関係だと主張できるわけだ。そして、こういう状況を作るために、やはりあの時、直樹はトランプ手品を使ったのだろう。

「で、仁科直樹を殺し、俺たちの連判状を見つけたわけか」

「それと、あなたとのバンの受け渡し地点を描いた地図です。正直いって驚きました。殺人計画に、他に二人も仲間がいるとは思わなかった」

「それでとりあえずバンは地図の場所まで運んだわけか」

「それ以外に方法が思いつかなかったものですからね」

「おかげで、ひどい目にあった」

拓也はゆっくりと立ち上がった。だいたい推理したとおりだった。これだけ聞けば、あとは問題ない。

「橋本を殺したのも、もちろん君だ。連判状を見て、俺たちも君の秘密を知っていると思ったんだな」

「橋本さんには気の毒なことをしました」と悟郎はいった。「でもあの人も人殺しをやろうとしたわけだし、これも運命ですよね」

「そういうことかな」

拓也がいった時、悟郎が鉄のアングルを振りあげてきた。

タクシーを降りると、弓絵は通用門を走って通った。こんな時間に女子社員が来るはずはないのだが、守衛に呼びとめられることはなかった。

実験室……実験室っていってた――。

事務業務にしか携《たずさ》わらない弓絵は、実験棟などには行ったこともない。迷いながら、とにかく走った。

『あの頃、僕は狂っていた。僕を狂わせたのは、あの建物の上で機械人形を作って喜んでいる連中なんだ。弓絵ちゃん。君のいったとおりだよ。奴らは狂っている。僕は見たんだ。あの末永という研究者が、ロボットに頬ずりしているのを。狂った連中のおかげで、僕の人生も壊れてしまったんだ』

ここに呼び出し、隙を見てブルータスで殺す――それが拓也の計画だった。そして拓也は証言する。実験を手伝ってもらうために来てもらったんですが、目を離した隙に勝手にロボットをいじったらしくって――。

しかしそんなことをいっている場合ではなかった。悟郎が振り回した鉄のアングルが拓也の大腿部《だいたい》に当たり、彼は立ち上がれなくなっていたのだ。悟郎は再びアングルを振り下ろした。頭を狙ってくる。辛うじてよけると、アングルは何かの計器に当たり、鈍い音と共にいくつかの部品が飛び散った。

「俺を殺すと、もう逃げられないぜ」

息を切らして拓也はいった。右足に激痛がある。腕と左足だけで逃げる。

「わかってるさ」と悟郎はいった。「逃げる気はないんだ。ただあんたを殺したいだけだよ」

さらに攻撃してきた。しかし今度は拓也にツキがあった。悟郎の振ったアングルは、拓也に達する前に、隣りのロボットのボディに当たったのだ。激しい音がして、アングルは反対方向に飛んだ。そして悟郎は肩に激痛を感じたらしく、その場で片膝をついた。

この機をみて拓也は飛びかかった。両手で首を絞める。だが悟郎は渾身《こんしん》の力をふりしぼり、右足で拓也の腹を蹴ってきた。たまらず拓也は後方に飛ばされた。その瞬間、大型のスパナが目に入る。咄嗟《とっさ》に摑むのと、悟郎の襲いかかってくるのが同時だった。

拓也は無我夢中でスパナを振った。その先端は悟郎の額に見事に命中し、彼の眉間はぱっくりと割れた。彼は両手で顔を押さえたが、その指の間から鮮やかに赤い血が流れ落ちた。そしてその場にうずくまる。

拓也はその後頭部に、さらに一撃を加えた。悟郎は獣のような声を発した。


実験棟の入口を見つけるまでに随分手間取った。どこも鍵がかかっていて入れなかったのだ。ようやく見つけると、弓絵はまずエレベーターのところに行った。しかし悟郎がどの階にいるのかはわからなかった。彼女は階段を駆け上がりながら、彼の名前を叫んだ。二階にはいない。真っ暗だ。三階に上がる。部屋に煌々《こうこう》と灯りのついているのがわかった。部屋に入って名前を呼ぶ。

何か物音がしたような気がして、弓絵は奥に進んだ。まるで巨大な墓場のように機械が立ち並んでいた。背の低い彼女には、満足に先を見通すことができない。

さらに奥に入った時、はっと息を飲んだ。そこに誰かが倒れていたからだ。それが悟郎だと気づくのに、二、三秒かかった。血が飛び散り、その中でうつ伏せに倒れている。

「悟郎ちゃん」

弓絵は駆け寄った。だがその時横の機械の陰から、もう一人の男が現われた。悲鳴を上げると同時に、彼女は男に腕を摑まれていた。すごい力だった。恐怖の中で彼女は男の顔を見た。

歪んだ形相の、見たこともない男だった。いや、どこかで見たことはある。この男に似た男に、最近会ったことはある——。

男は彼女の首に手をかけた。殺される、と弓絵は思った。

女の細い首を絞めながら、俺はいったい何をしているんだと拓也は思った。すべて順調、何もかも計画通りに来たはずなのに、取り返しのつかないことをしている。酒井悟郎を殺し、この女をも殺そうとしているのだ。

これは何かの間違いだ、と拓也は心の中で呟いた。悪い夢を見ているに違いない。明日になれば、何もかも平常通りで、俺には未来だけが待っている。誰かがいった、太陽の当たる世界へ出られるのだ。

この女は何だ？　何をしている？　俺はなぜ首を絞めているのだ？

次の瞬間、拓也は首に強烈な衝撃を受けていた。ショックで彼は弓絵の首を離した。解放された弓絵は、背を丸め激しく咳きこんだ。

拓也は振り返った。と同時に、首に冷たい刺激を感じた。ブルータス。ブルータスの手が彼の首を摑んでいるのだ。そして床に這いつくばった格好で、コントローラーを操作する悟郎の姿が目に入った。

「何だよ、ブルータス……」

呟いた時、黒い金属の指が静かに動きだした。首が圧迫される、と感じたのはほんの一瞬だった。
白い光が目の前を走り、そして消えた。

一九八九年一〇月　カッパ・ノベルス（光文社）刊

この作品の中に描かれた事件はフィクションであり、実在の個人、団体、企業等とは関係ありません。

（編集部）

光文社文庫

長編推理小説

ブルータスの心臓

著者 東《ひがし》野《の》圭《けい》吾《ご》

1993年8月20日 初版1刷発行
2009年11月15日 31刷発行

発行者 駒井稔
印刷 公和図書
製本 明泉堂製本

発行所 株式会社 光文社
〒112-8011 東京都文京区音羽1-16-6
電話 (03)5395-8149 編集部
8113 書籍販売部
8125 業務部
振替 00160-3-115347

© Keigo Higashino 1993

落丁本・乱丁本は業務部にご連絡くだされば、お取替えいたします。

ISBN978-4-334-71739-1 Printed in Japan

Ⓡ本書の全部または一部を無断で複写複製(コピー)することは、著作権法上での例外を除き、禁じられています。本書からの複写を希望される場合は、日本複写権センター(03-3401-2382)にご連絡ください。

お願い　光文社文庫をお読みになって、いかがでございましたか。「読後の感想」を編集部あてに、ぜひお送りください。

このほか光文社文庫では、どんな本をお読みになりましたか。これから、どういう本をご希望ですか。どの本も、誤植がないようつとめていますが、もしお気づきの点がございましたら、お教えください。ご職業、ご年齢などもお書きそえいただければ幸いです。

光文社文庫編集部

◆◇◇◇◇◇◇◇◇◇◇◇◇◇◆光文社文庫　好評既刊◆◇◇◇◇◇◇◇◇◇◇◇◇◇◆

「どこへも行かない」旅　林 望
天鵞絨物語　林 真理子
見たことも聞いたこともない　原田宗典
かんがえる人　原田宗典
八代目 坂東三津五郎の食い放題　八代目 坂東三津五郎
密室の鍵貸します　東川篤哉
密室に向かって撃て！　東川篤哉
完全犯罪に猫は何匹必要か？　東川篤哉
学ばない探偵たちの学園　東川篤哉
白馬山荘殺人事件　東野圭吾
11文字の殺人　東野圭吾
殺人現場は雲の上　東野圭吾
ブルータスの心臓 完全犯罪殺人リレー　東野圭吾
犯人のいない殺人の夜　東野圭吾
回廊亭殺人事件　東野圭吾
美しき凶器　東野圭吾
怪しい人びと　東野圭吾

ゲームの名は誘拐　東野圭吾
夢はトリノをかけめぐる　東野圭吾
さすらい　東山彰良
青（チンニャオ）鳥　ヒキタクニオ
角　ヒキタクニオ
聖ジェームス病院　久間十義
呪海　平谷美樹
独白するユニバーサル横メルカトル　平山夢明
可変思考　広中平祐
札幌・オホーツク 逆転の殺人　深谷忠記
横浜・修善寺0の交差　深谷忠記
萩・津和野殺人ライン　深谷忠記
長崎・壱岐殺人ライン　深谷忠記
千曲川殺人悲歌　深谷忠記
佐渡・密室島の殺人　深谷忠記
十和田・田沢湖殺人ライン　深谷忠記
多摩湖・洞爺湖殺人ライン　深谷忠記

◆◇◇◇◇◇◇◇◇◇◇◆光文社文庫　好評既刊◆◇◇◇◇◇◇◇◇◇◇◆

亡者の家　福澤徹三
A HAPPY LUCKY MAN　福田栄一
雨月　藤沢周
ベジタブルハイツ物語　藤野千夜
現実入門　穂村弘
信州・松本城殺人事件　本城英明
ストロベリーナイト　誉田哲也
疾風ガール　誉田哲也
鞄屋の娘　前川麻子
晩夏の蟬　前川麻子
パレット　前川麻子
これを読んだら連絡をください　前川麻子
銀杏坂　松尾由美
スパイク　松尾由美
いつもの道、ちがう角　松尾由美
ハートブレイク・レストラン　松尾由美
網（上・下）　松本清張

西郷札　松本清張
青のある断層　松本清張
張込み　松本清張
殺意　松本清張
声　松本清張
青春の彷徨　松本清張
鬼畜　松本清張
遠くからの声　松本清張
誤差　松本清張
空白の意匠　松本清張
名探偵木更津悠也　麻耶雄嵩
女の小説　丸谷才一　和田誠
新約聖書入門　三浦綾子
旧約聖書入門　三浦綾子
泉への招待　三浦綾子
極め道　三浦しをん
色即ぜねれいしょん　みうらじゅん